MIURA AYAKO LITERATURE MUSEUM
三浦綾子記念文学館

手から手へ～三浦綾子記念文学館復刊シリーズ③

嵐吹く時も　下

三浦綾子

嵐吹く時も　下　もくじ

※作品に登場する商店の屋号《やごう》を、原作では┐中と記載していますが、
この本では「カネナカ」と表記していますのでご了承ください。

カバーデザイン　齋藤玄輔

二重回し

二重回し

一

もんわりと暖かい鰊《にしん》ぐもりの日がつづく。四月の初めに、先《ま》ず向かいの天売《てうり》・焼尻《やぎしり》の島で鰊が獲れ始める、と、十日後の羽幌《はぼろ》・苫幌《とまほろ》の浜にも鰊が寄せて来る。海面が鰊の白子で乳白色に盛り上がって来る。そんな海を、文治は今朝も自分の家の二階から、恭一と共に眺めて、自然というものの神秘さにふれたような気がした。魚群の産卵には何の猥せつもなかった。只清浄で偉大であった。苫幌の鰊漁は四月十日頃から五月の十日頃までつづく。村中に鰊が匂い、火事場のような騒ぎとなる。こんな時、真昼間のカネナカの店は、ふだんよりむしろ客が減る。みんなが血まなこになって買物どころではないからだ。昼食を終えた文治は、今店の商品棚を点検がてら整理していた。ふじ乃と志津代は今日は朝から、一の蔵の中に入って棚卸しをしている。雪どけと共に、新しい商品の買付けが始まるからだ。

「今年の鰊はどうかなあ」

小僧たち二人がご用聞きに出ていて、一人所在なげにタバコを服《の》んでいた三郎が言った。

「明治二十五、六年頃までは全盛期だったそうですね」

文治はふり返らずに答えた。その後は次第に漁獲高が減ってきていると、網元がこの間もぼやいていた。とは言え、全く獲れなくなったわけではなく、現に今日も、浜は鰊景気で湧いている。

「四十二年は不漁だったからなあ」

苫幌全体で、僅かに五千六百石の水揚げだった。

「毎年毎年、こんなにたくさん獲れれば、減るのは当たり前じゃないかなあ」

文治は本当にそう思う。いかに海が広くても、鰊も無限ではない。いつかは鰊の寄りつかなくなる日が来るかも知れないと、母のキワも言っていた。

「そんなことになったら、大きくひびくなあ」

三郎は眉根を寄せた。店の前を、サイに手を引かれた新太郎が、浜のほうに出て行くのがガラス戸越しに見えた。

「しかし、鰊は生きものだからね。この辺では獲られても、どこかの国では、一匹も獲らない所もあるかも知れないよ」

確かに三郎の言うとおりかも知れない。文治は眉根を寄せた三郎を見ると、明るいことを言いたくなった。

「ま、それもそうだな。ところで、この間の話はどうなったのかな」

「この間の話?」

文治は聞き返したが、きっとあのことだと思った。先月、春の彼岸過ぎ、今日のように店の客が途絶えた時、ふじ乃は三郎と文治に言ったのだ。

「……一度夜にでも、ゆっくり相談したいことがあってね」

だが、三月が行き、四月も十日が過ぎたというのに、ふじ乃は自分の言葉を忘れたかのように、何も言わなかった。

あの後すぐ、新太郎が扁桃腺炎で高熱を出し、一週間もの間意識がもうろうとなり、みんなが心配したことがあった。ふじ乃も志津代も、サイも、そしてこの正月嫁に行ったタヨも駆けつけて新太郎の看病をした。そんなことに取り紛れて、二人に相談したいと言ったことを忘れているのかも知れない。だが内心文治も心にかかってはいた。相談とは一体何であろうと、気がかりでならなかった。朝、家を出る度に、今日は話が出るかと思わぬ日はない。三郎はどう思っているのか、ふじ乃の言葉には、何もふれなかった。だから文治は、自分一人だけが気にしているようで、何か恥ずかしくもあった。

「この間の話?」

と問い返した文治に、

「ほら、お内儀さんが、二人にゆっくり話をしたいと言った、あれよ」

三郎はちょっと文治をうかがうような表情になった。

「ああ、あの話か。新太郎ちゃんの具合が悪かったりしたから、忘れたのかも知れないね」

「忘れた？　そうかな、忘れるような話かな」

と言った時、

「あれ？　お内儀さんはいないのかい？」

と、店に入って来たのは風呂屋のお内儀森下ハツだった。三郎はさっと立ち上がり、畳の上に座布団を出して、

「あ、いらっしゃい。いつもお元気で何よりです。お内儀さんは蔵にいますからすぐに呼んで来ます」

と、草履を突っかけて、店を飛び出して行った。その敏捷な応対に、

「気の利く男だねえ、あの男は」

ハツは肩をゆすって笑った。

「はあ、よく気のつく人です」

相槌を打ちながら、文治は茶の仕度を始めた。やがて軽い駒下駄の音がして、ふじ乃が入って来た。

「まあ、すみませんね、お待たせして。今年は鰊はどうでしょうね」

鰊時には誰もが交わす挨拶である。

「ああ、今年はいいそうだよ。なんぼなんでも、一昨年《おととし》や一昨昨年《さきおととし》のようなことはないだろうさ」

そう言ってからハツは、いきなりひそひそ話に移った。ハツは買物よりも噂を流しに来ることが多い。ハツにつづいて、二、三人客が来た。

「みそパンちょうだい」

絣の着物の前をはだけた四歳位の男の子が一銭銅貨をさし出した。一銭の買物といえども客だ。鰊場で親たちが忙しくなると、子供たちが飴玉や煎餅《せんべい》や、饅頭《まんじゅう》を買いに来る。たいていは一銭か二銭の買物だ。ご用聞きに出ていた小僧の一人が帰って来た。その手帳を見ながら、文治は小僧と一緒に、竹で編んだご用籠に、砂糖や味噌や醬油《しょうゆ》を入れる。ご用聞きに行く家は、寺や校長の家や、八重の家など、山の手が多い。

(三郎君、何をしてるのだろう?)

ふと、文治は胸騒ぎがした。ふじ乃を素早く迎えに行った時から、気にはしていた。だが仕事に気を取られて、時計を見る暇がなかった。もう二十分は過ぎている。一の蔵のあのうす暗い中で、三郎は志津代と一緒に品数を調べているのだろうか。文治は何かいやな予感がした。と言って、ふじ乃が三郎に仕事を引きついで来たのなら、とやかく言うわけにはいかない。文治は次第に落ちつかなくなった。もう一人の小僧が帰って来た。

「やあ、浜は賑やかだあ」

　小僧が言うと、ふじ乃は何かしきりにうなずきながらハッの話を聞いていたが、

「何だい、お前、用もない浜なんかに、うろうろして来たのかい」

　と、ぴしりと叱り、

「おや、三郎は?」

　と、怪訝《けげん》な顔をした。文治が答えた。

「蔵で棚卸しをしてるんじゃないかと……」

「棚卸し? わたしはそんなこと、頼まないよ」

　ふじ乃の黒い目が、文治と小僧に鋭く注がれた。二人の中の誰に言いつけるべきか、考える一瞬の目の動きだった。

「文治さん、三郎を呼んで来て、わたしが呼んでるからって」

　文治はうなずいて外に出た。

　蔵のほうを見ると、どの蔵の戸も閉ざされている。文治は息をつめた。人が蔵に入っている時、湿気を嫌って戸を閉めることがある。が、一の蔵は閉めきらなければならない品物ばかりとは思えない。味噌、醤油、油等が多い。煎餅、海苔、かんぴょうがあるにしても、

缶や罎《びん》の中に入っている。文治の体が小刻みにふるえた。駆け出そうとしても駆け出せないのだ。じっと一の蔵の扉を見つめたが、次の瞬間文治は走り出した。三郎に抱きすくめられている志津代の姿が、目に浮かんでならなかった。

二

「ね、おっかさん」

隣りに寝ている母のふじ乃に、志津代が声をかけた。父親の順平が死んでから、ふじ乃と志津代と新太郎が、同じ部屋に寝るようになった。

「なあに?」

今日の午後は、サイや臨時に頼んだ女たちと、一冬分の漬物を漬けるために、霙《みぞれ》でも降りそうな十月の空の下で大根を洗った。それでも、疲れを見せないふじ乃の横顔を、志津代はたのもしそうに見つめた。ふじ乃は三十六歳なのだ。十七歳の志津代は、母のふじ乃のほうが自分よりはるかに体力があると思う。去年母に秘密を打ち明けられてから、志津代はふじ乃が、以前よりずっと身近に感じられる。新太郎が増野録郎の子だと知っても、母をうとむ気持はなぜか湧かない。家が貧しくて、芸者に売られるところを順平に助けられて、北海道に渡って来たと聞いた。来年正月、明けて早々の二十日には、文治と挙式の運びとなった今、志津代はいっそう母に心を寄せていた。自分が幼い時から好きだった文治と結婚出来る。だが母は、年の離れた順平の妻になるためにはるばる佐渡《さど》からこの苫幌にやって来た。母の胸にも好ましい男性がいなかったとは言えない。その人を諦め、故郷を遠く離れて、見も知らぬ北国のこの寒村に住みついた母の心を、どうしてもっと早く思いやれなかったのかと思う。そんな優しい思いをこめて、今、志津代はふじ乃に声をかけた。

「あのね、おっかさん。天皇様でも死ぬんだね」

明治天皇が今年七月三十日に崩御《ほうぎょ》したことを思いながら志津代は言った。

「そりゃそうだよ、人間だもの」

なんだ、そんなことかというようなふじ乃の語調だった。

「天皇様でも、死ぬのはおっかなかったかしら」

「死ぬのがおっかなくない人間なんて、いないんじゃないの。ま、偉いお方は修養が出来ているから、おっかさんたちとはちがうかも知れないけれどね」

枕もとの石油ランプがかすかに音を立てている。

「修養したら、おっかなくなくなるの」

「おっかないさ、おねえちゃん」

眠っていると思った新太郎の声だった。

「あら、新ちゃん、まだ起きてたの?」

「うん、ぼく、よいっぱりだもん」

いつも大人たちに言われている言葉で、新太郎が答えた。ふじ乃が言った。

「新太郎、お前六つだろ。六つじゃ、死ぬなんてこと、よくわからないだろ」

「わかるよ。キヨちゃんとこのおじさんが、うみで死んだとき、ぶんぶくぶんにはれて、はまにあがってたもん」

「ああ、そうだったね。タヨと浜に遊びに行ってた時だろう。あれはもう二年前だろ、ね、志津代」

「そうよ、二年前よ」

「二年前ねえ。子供って、四つぐらいでも、死んだことがわかるかねえ」

ふじ乃は初めて気づいたように、しみじみとそう言って、

「そうかい、新太郎でも死ぬのがおっかないかい」

と、深い声になった。

「おっかないさ。死んだら、やかれるもん。ぼく、やかれるのいやだ。あついもん。おっかさんは、おっかなくない？」

「おっかさんは死んだら絶対に地獄行きだからね。恐ろしくて、死ぬなんてこと、考えたくもないよ」

「人間はみな同じよ、おっかさん。誰でも地獄行きだと思うわ」

志津代はきっぱりと言った。

「へえー、お前ほんとにそう思うの」

ふじ乃は体ごと志津代のほうを見た。

「そう。そう思うことがある。文治さんなんか、地獄に行きそうもないけど、でもあの人だって人間だもの、一生の間、只の一度もわたしを裏切らないでいけるか、どうか」

「……じゃ、お前も文治さんを裏切ることがあるかも知れないってかい？」

「今は裏切らないと思ってるわ。でも、人間って変わるから……いつ、どんなふうに変わるか、わからないから」

志津代は三郎の顔を思い浮かべながら言った。

今年の四月だった。ふじ乃と二人で棚卸しをしているところに、三郎が入って来た。ふじ乃を呼びに来たのだ。あたふたとふじ乃が出て行くのを、三郎は戸口で見送っていたが、戸を閉めて志津代の傍《そば》に寄って来て言った。

「手伝いますよ、志津代さん」

「ありがとう。でももう少しだから、わたし一人でやるわ」

三郎と二人っきりで、うす暗い蔵の中にいるのは、文治に対する裏切りのような気がした。その時はまだ別段文治と婚約していたわけではない。が、志津代は文治を未来の夫と思っていた。

「あと少しなら尚のこと、手伝いますよ」

志津代の持っている帳面をのぞきこむようにして、三郎は志津代にすり寄った。志津代は鳥肌が立った。若い娘は潔癖なのだ。たとい相手が好きな人間であっても、若い娘というものは、なれなれしくされることを嫌うものなのだ。しかしそんな娘心を三郎は知らなかった。札幌にいた時、大店《おおだな》の番頭たちに連れられて行き、女を幾度か買ったことのある三郎には、生娘の恐怖がわからなかった。

「じゃ、あんたがやってくれるんなら、わたしお店に行くわ」

志津代は三郎の傍をすりぬけようとした。その志津代の手を、三郎はぐいと引いた。

「何をするの!」

三郎はぎらぎらした目で、志津代を抱きすくめようとした。

「いや! いやだったら! 手を離さなかったら、舌を噛んでやる!」

志津代は三郎を睨みつけた。と、三郎の手が離れた。

「そうか、舌を噛むか。志津代さん、そんなに俺が嫌いだったのか」

ひどく淋しい声だった。

「嫌いというのとはちがうわ。わたし、心に決めた人がいるの」

　志津代はきっぱりと言った。

「それが文治かい」

「そうよ、文治さんよ。わたし、文治さん以外の人が言い寄ってきたら、舌を噛もうと思っていたの」

「ふーん、そんなもんなのかな。女ってそんなものかな」

　三郎は驚いたように繰り返した。と思うと、不意に三郎は蔵の床に手をついて、

「志津代さん、お願いだ、考え直してくれ。確かに文治はいい男だよ。まじめな男だよ。だがあいつは、絶対に商人じゃない。この店の婿として立派にやっていける男じゃない。その点俺は、商売が好きなんだ。必ず幸せにして見せる。必ず倍の店にして見せる。志津代さん、俺と一緒になってくれないか」

　志津代は戸口にあとずさりしながら言った。

「土下座なんかするの、やめてちょうだい。あんたの商売上手は、おっかさんも認めてるわ。でもね、三郎さん、わたし文治さんと一緒なら、お金なんて要らないの。お金持ちがみんな幸せとは限らないでしょ」

「そんなことを言ってるのはね、志津代さんが貧乏を知らないからさ。貧乏なんてみじめ

なものさ。誰も相手にしてくれない。俺は貧乏人の子供だったから、その辛さはよく知っている」

三郎は声をつまらせて立ち上がった。志津代は何かそのまま三郎を一人置き去りには出来ないような哀れな気がした。その志津代に気づいてか否か、三郎は改まった声で言った。

「わかったよ、志津代さん。俺は渾身の力をこめて、この家のために働く。婿になれないんなら、番頭だっていいんだ。そうだ、店を大きくするためには、何も婿になることはないんだ。志津代さん、すまなかった。お内儀さんに言ってもいい。俺、只、この店のために、一生懸命働かせてもらう」

志津代は人間というものがわからなくなった。たった今、野獣のような目で、自分を手ごめにしようとした三郎が、この店のために身を粉にして働くと誓っている。一体、どちらが本来の三郎なのか。その何れもが三郎の姿なのだろうか。志津代にはわからなかった。

この時のことは、文治にもふじ乃にも話してはいない。文治が迎えに来た時、志津代が蔵の戸を開けたのと、文治が戸の前に立ったのと同時だった。

それ以来の、三郎の態度には非の打ち所がなかった。本州に仕入れにも出かけた。

札幌《さっぽろ》や小樽《おたる》にもしばしば仕入れを兼ねて市場調査に行った。品数が増え、売り上げも伸びた。店でぼんやりタバコを服《の》むこともなくなった。小僧たちに率先して、店のまわりの清掃にまで力を入れた。ふじ乃は幾度も村の人から言われた。

「三郎さんを婿にするのかね」

来る客来る客に、三郎は今まで以上に愛想がよくなった。余り子供好きでなかった三郎は、洟《はな》を垂らしている子供の鼻を拭いてやることさえあった。文治と志津代の縁談がまとまったあとでさえ、

「三郎さんを婿さんにしたほうがよかったかねえ」

と、ふじ乃は志津代に言うことがあった。三郎は、文治が婿になると決まってからは、文治を若主人のように丁寧に扱うようになった。春が過ぎ、盆が過ぎ、順平の一年忌が過ぎた。そうした集まりの時も、三郎の働きぶりは人々の目を惹いた。三郎から見ると、文治はおっとりとした、正直でまじめなだけの、気の利かぬ人間に見えた。

志津代は横に寝ている母の、しわひとつない顔を眺めながら、あの蔵の中のことを不意に打ち明けたいような気がした。だが、土下座した姿や、約束どおり働く三郎の日常を思うと、やはり黙っていてやるべきではないかと、口まで出かかった言葉を飲みこんでしまった。

「ね、おっかさん」

「え？」

「新ちゃん、眠ってしまったみたいね」

「あ、寝たみたいだね。一体大きくなったら、どんな子になるのかねえこの子は」

「いい子に育つわよ」

「そうかねえ。そうだといいけど……。ね、志津代、世の中には泥棒とか、人殺しとか、いろんな罪があるわね」

くぐもったふじ乃の声だった。

「それがどうかした？」

「いや、あのねえ、おっかさんね、いつも思うんだけどねえ。こうしてお父っつぁんを裏切って子を生んだことね、新太郎を見てるといやでも思い出すだろ。この子はおっかさんの罪の塊なんだよ」

「………」

「なんぼ忘れたくってもねえ、この子を見ていると、お父っつぁんを裏切った時の夜が思い出されてね。この子の父親の顔も、忘れようたって、忘れられない。志津代、逃れようたって、逃れようがないんだよ」

「…………」

「忘れたくても、忘れる暇を与えてくれないんだよ。苫幌中の人間が知ってるんじゃないかとびくびくしたり……。人間の罪の中で、裏切りの子を生むほど大きな罪はないんじゃないかと、おっかさんは時々思ってね」

「…………」

「ね、こんなおっかさんを、許してくれる神さまはいないもんかねえ。いないだろうねえ。罰を当てるだけさね、神さまなんて」

「…………」

「仏さまだって、お先祖さまだって、怒るだけさ。先祖の祟《たた》りって、よく言うじゃないか。おっかさんは、いつの日になったら安らかな心になれるのかねえ」

ふじ乃の白い頬を、涙がこぼれ落ちた。

「おっかさん」

志津代は胸が詰まって、何も言えなかった。こんなに罪を悔いているとは、思わぬことであった。

「死んだらみんな仏になるって……ありゃ嘘だね。おっかさんが死んだら、仏にはなれないよ。でもお父っつぁんは立派な仏になったと思うよ」

「おっかさん、その仏さんになったお父っつぁんが、おっかさんをきっと守ってくれていると思うよ。おっかさんの何もかも知って、許してくれていると思うよ」

志津代は本当にそう思った。こんなに悔いている母を、あの父が許してくれない筈はないと思った。

「そうかねえ。そうだとうれしいねえ。お前、いいことを言ってくれたねえ」

ふじ乃は志津代に手を伸べた。志津代はそのふじ乃の手を取った。

「あのね、志津代。七月三十日に天皇様がおかくれになっただろ。その天皇様の後を、乃木大将がお葬式の日に、あとを追われただろう。あの時おっかさん、何と思ったと思う？」

「さあ……」

「おっかさんね、お父っつぁんが死んだ時に、自分も乃木大将のように、あとを追えばよかったと思ったんだよ」

「まあ！　おっかさんったら……」

志津代は一層母のふじ乃への気持が、優しくなっていくのを覚えた。世は明治から大正に移っていた。

三

今年もまた年の暮が近づいて、カネナカは活気に満ちていた。正月の二十日に志津代と文治の婚礼が予定されているとあって、家にみなぎる空気は明るかった。三郎の勧めで若夫婦のために、家屋の内装も新たにした。一番奥のふた間を、床の間などつけて小ぎれいに仕上げたのも、十二月に入ってからだった。誰よりも機嫌がよかったのは、不思議なことに三郎であった。

「三郎さん、あんたが婿入りするんじゃないんだよ」

サイが三郎の肩を叩いて冗談を言うほど、三郎は上機嫌であった。タヨのあとに入った下働きのハルが尋ねた。

「番頭さん、どうして嫁さんもらわんの」

「おれはね、嫁さんは欲しくはないんだよ」

「あら、どうして?」

「嫁さんはおまんまを食うだろ。菓子を食べたり、お茶を飲むだろ。着物が欲しいとか、下駄が欲しいとか、金のかかることを言うだろ」

三郎は冗談のように言ったが、文治は驚いた。妻というものが、金がかかる存在とは思いもよらぬことだった。

そんなことがあって、師走も二十三日の朝だった。いつもは文治より先に店に出る三郎が姿を見せない。九時頃になって、

「風邪でもひいたのかね」

ふじ乃は小僧をすぐ近くの嘉助の家に使いにやった。三郎は店のすぐ近くの嘉助の家に同居している。蔵の中での一件があって間もなく、三郎は住みこみから、通いに変わっていた。叔父の嘉助は、初荷の時に怪我をして以来、どうも腰が本調子でなく、家の中を歩くのがやっとの状態だった。めっきりと体力も落ちたが、幸い五歳年下の妻のウメが、小まめに体を動かして、嘉助と三郎の身のまわりをよくみている。子供のいない嘉助夫婦は、養子をもらったことがあったが、僅か十歳の時に死なれた。その時の悲しみが二度と養子を迎えさせなかったが、甥の三郎をそれだけに息子のようにかわいがっていた。

小僧はすぐに帰って来た。

「お寺の餅つきに手伝いを頼まれて、今朝早く出たそうですよ。少し遅れるかも知れないって、言っていたそうです」

「おや、そうかい。そう言えば、お寺はいつも餅つきは早かったね」

ふじ乃は屈託なく言った。が、文治は、そんな話は昨日三郎は何もしていなかったと、ちょっと心にかかった。

十時になった。三郎はまだ出て来ない。店は忙しかった。

「おや、もう十時を過ぎたよ。まだお寺の餅つきは終らないのかね」

ふじ乃が文治の傍に来て言った。

「わたしが様子を見て来ましょうか」

「でも、お寺さんに悪いよ」

そう言ってからふじ乃は、

「しかしお寺さんだって、暮は忙しいのを知らないわけじゃないのにね」

たいていの家の餅つきは、二十七、八日だ。しかも夜中の十二時から始まって、明け方にはつき終わる。寺では何時から始めたのだろうと、この時も文治は気になった。

昼になっても、遂に三郎は顔を見せなかった。

「何かあったんじゃありませんか」

サイが飯の盛りつけをしながら言った。

「何かって何だい?」

ふじ乃は不機嫌だった。

「餅をつき過ぎて、心臓がおかしくなったとか……」

「それならそうと、うちに言ってくる筈じゃないか」

「でも、おっかさん。三郎さん、道のどこかに倒れているかも知れないよ」

山の手の寺から、カネナカの店に下りて来るには、野道を少し歩かなければならない。

「吹雪なら道に迷うってこともあるけど、こんな晴れた日じゃないか」

「だけど、どこかで苦しんでいるかも知れないわ」

「とにかく、わたしが行って来ます」

文治が持ちかけた飯茶碗を置いて立ち上がると、ふじ乃は、

「文治さんまで店を留守にされちゃ……そうだ、おハル、お前、お寺さんにちょっと行って来ておくれ。途中で番頭さんが倒れていないか、気をつけて見るんだよ」

三郎は倒れた嘉助のあとを継いで、五月から番頭の座についていた。ふじ乃が三郎と文治に相談して決めたことだった。ハルが頬を真っ赤にして、息をきらして駆け戻って来たのは、それから三十分後であった。

「お寺さんに、番頭さんなんか来てませんって」

「何だって!?　来ていないって!」

驚くふじ乃に、店先に突っ立ったまま、ハルは大きくうなずいた。

「お寺さんの餅つきは、今日じゃなかったのかい」

「餅つきは今日したそうです。これ、お内儀さんにって……」

紙に包んだ餅饅頭をハルは差し出した。

「どこへ行ったのかしら、三郎さん」

客に釣銭を渡しながら志津代が言った。

「番頭さんがどうかしましたか」

釣銭を渡された漁師のお内儀が尋ねた。

「いえね、何でもないんですよ」

ふじ乃は愛想よく返事をしたが、嘉助の家に使いに行った小僧の弥一に、

「お前、本当にお寺さんに餅つきに行ったって聞いたのかい?」

「聞きました」

去年から小僧に入った弥一は、利発そうな目をふじ乃に向けて、はっきりと答えた。

「じゃ、おウメさんが聞きまちがったのかねえ?」

ふじ乃は一旦そうは言ったが、

「どこの手伝いに行ったにしろ、十二時を過ぎるって話はないよ」

「お寺さんは頼まなかったと言ってるし……」

　ハルも頭をかしげた。

「これは三郎の上に何か起きたかも知れない」

　ふじ乃はようやく事の重大さに気づいたように言った。

　店に客はいたが、文治と志津代がふじ乃を囲んで、ひそひそと話し始めた。

「手分けをして、その辺を探そうか」

　ふじ乃が言った。

「その辺って……もし倒れていたら、誰かが見つけているわよ。ね、文治さん」

「そうは思うが、とにかく探して見なくちゃあ」

　文治が答えた。

「ひとまず、嘉助の所にわたしが行ってみる」

　あたふたとふじ乃が出かけた。

　少し経って、ふじ乃が戻って来た。

「三郎の様子は、何も変わりはなかったってさ。一体どうしたんだろうね。まさか、志津代と一緒になれなくて、首をくくるなんて……」

「いやだわ、おっかさん」

　志津代はふじ乃の肩を叩いたが、志津代の顔は少し青ざめた。

二重回し

午後四時を過ぎて、近所の漁師が店に入って来た。

「お内儀さん、若い番頭さんが、いなくなったって?」

一瞬ふじ乃は、どう答えようかと迷うまなざしになった。

四

台所も茶の間も土間も開け放って、今夜のカネナカは夜も十二時だというのに、明るく賑やかだ。「あかね」の芸者が二人来て、台所の片隅で、囃《はや》しの三味線を弾いている。囃しに合わせて、土間では今二つの臼に、一つは恭一、一つは小僧の弥一が餅をついていた。相取りはサイと、手伝いに来ているタヨだ。土間のかまどの釜の上には、大きな四角い蒸籠《せいろう》が五つ重なり、盛んに湯気を上げている。台所には広いのし台を置き、その周りにふじ乃や志津代を始め、手伝いの女たちが次々と餅にあんをくるんでいく。

文治は茶の間の畳の上に仰向けに寝て、大きく喘《あえ》いでいた。つづけて二臼つくと、二十の文治もさすがにくたびれた。仰ぐ茶の間の天井に、昨夜吊るしたばかりのまゆ玉が、枝ぶりも大きく広がっている。厚紙で出来た大福帳、大判小判、七福神、鯛などが、金色銀色に光って、かすかに動いている。

文治は、さすがにカネナカの餅つきは、自分たちの家の餅つきとは格段の差があると思った。昨日朝から、タヨを始め、近所の手伝いの女たちが三、四人、一日がかりで餅米を磨《と》いだ。小桶で磨いでは大きな桶に次々にうるかす。家族の多い家では、ふつう一俵から一俵半をつくが、カネナカでは臼二つを用意し、三俵もつく。

この日までに、既に大根と人参のなます、黒豆、金時豆の煮豆、数の子の水出し、きんぴらごぼうやうま煮、煮しめなどの正月料理はもう出来ている。どれもこれも、他家の三倍はつくるから、大鍋を置く小屋が、土間につづいて造られている。

「おにいちゃん、くたびれた?」

小盆にのせたみかんを差し出しながら、新太郎が文治に言った。

「ああ、ありがとと。気が利くな、新ちゃん」

文治が体を起すと、

「おっかさんが、もっていけって」

と、新太郎はにこりと笑った。文治が台所のほうを見ると、ふじ乃と餅のし台を前に並んでいた志津代が、文治を見てうなずいた。文治もうなずき返してみかんをむき始めた。

「ね、おにいちゃん、さぶろうばんとうは、どこへいったの? もちつきにもこないの?」

新太郎は食べかけの餅饅頭を口に入れながら言う。

「ああ、来ないだろうなあ」

「ほんと?」

新太郎はうれしそうに笑って、

「おれ、あいつきらいなんだ」

と、口の端についたあんを、小さな舌でなめた。

「新ちゃん、まだ眠くないか。一時になるぞ」

苫幌《とまほろ》の辺りでは、餅つきは大体、二十二、三日から二十七、八日頃までにつき終わる。二十九日につく家は全くと言ってよいほどない。二十九日は、「苦餅をつく」と言って、誰もが嫌う。餅つきは夜中の十二時頃から始まり、その餅の量に従って終わる時間が決まる。カネナカではたいてい午後の一時にはつき終わる。つき終わると小さな酒宴が設けられる。近所の若者たちは、芸者の三味線で餅をつくカネナカの餅つきに、競って手伝いに来る。近所の家からも餅をつく音が聞こえてくる。台所から女たちの笑う声が聞こえる。文治は三郎の行方を思った。

三郎が姿を消したのは、二十三日の朝だった。三郎は一緒に住む叔父の嘉助に、寺の餅つきに手伝いに行くと言って、朝早く家を出た。が、それは嘘だった。その日の夕方、近所の漁師が店に来て、

「ここの若い番頭さん、いなくなったって聞いたが、留萌《るもい》行きの箱橇に乗っていたのを、俺見かけたよ」

と告げに来た。その辺に倒れているのではないか。いや、もしかしたら志津代と文治の

結婚がきまって、世を儚《はかな》んで首でも吊っているのではないかと案じていた一同には、思いもかけないことだった。ふじ乃が言った。

「黙って、留萌に行ったということは、もう二度とここに帰って来ないつもりかも知れないね」

挨拶なしの三郎の出奔は誰の胸にも応えた。特に文治は、自分が三郎から志津代を奪ったようで後味が悪かった。この家を出たのは、三郎が耐え難い傷を受けたからだと、文治は思いもした。

三郎が苫幌を去ったあの日の夜、志津代は初めて、三郎が蔵の中で志津代に迫ったこと、志津代が「さわると舌を噛む」と言って斥けたこと、三郎が「そんなに俺が嫌いだったのか」と、ひどく淋しげに言ったこと、不意に床板に手をついて、「お願いだから、俺と一緒になってくれないか」と言ったこと、それをも断ると、三郎は「わかった、俺は渾身の力をこめてこの家のために働く」と誓ったこと等々を、文治に話して聞かせた。そして志津代は言った。

「わたし、あの人には悪いけど、ずっとこの店にいられるより、やっぱりいなくなってもらったのは、ありがたいわ。文治さんもわたしも、商売のことはよくわからないけど、でもこんな店、まじめにやっていけば、わたしたちにだって、出来ると思うの。村にたった一軒の雑貨屋だもの。わたし、さっぱりしたわ」

と、屈託のない顔をした。文治は志津代ほどに晴々とした気持にはなれかなったが、三郎がいないほうがやりやすいという点では、同じ気持ちであった。

今まで餅饅頭を食べていた新太郎が、いつの間にか傍らで寝入ってしまった。

「次は草餅だよ」

張りのあるふじ乃の声が台所にひびく。ふじ乃は声と言い、姿と言い、いつもどこか華やいでいる。文治は志津代のところに、新太郎が寝たと知らせに行った。新太郎の寝る部屋は知っていても、ふじ乃の寝室に黙って新太郎を運ぶわけにはいかない。志津代が言った。

「悪いけど、手を放せないから、おっかさんの布団に寝せておいて」

言われて文治は、今初めて、自分がこの家の身内の者になったような気がした。それは今まで味わったことのない、充ち足りた感情であった。文治は新太郎を抱えて、ふじ乃の寝室の襖を開けた。紫のビロードの襟布をつけた銘仙の掛布団をそっとめくると、びんつけ油の匂いがした。女の匂いだった。文治は新太郎を寝せて部屋を出た。茶の間に戻って文治は思わず大きく息をした。ふじ乃の部屋の匂いを吸うまいとして、息を詰めていたのだ。ふじ乃の部屋の壁のすぐ裏に、建て増しした文治と志津代のためのふた間がある。ふじ乃の部屋のように、びんつけ油の匂いがこもるのかと、文治はちらと思った。

凍《しば》れがきつくなったのか、外を歩く下駄の音が、澱粉を踏むように、きゅっきゅっと軋んで聞こえた。二十八日には特に餅をつく家が多い。今から手伝いに走る者の足音だろう。そう思った時、台所からふじ乃の呼ぶ声がした。

「文治さん、文治さん、さ、今度はあんたのつく番だよ」

呼ばれて文治は「はい」と答えながら、腰に下げていた手拭いを取り、ねじり鉢巻きをした。今までついていた兄の恭一が、紅潮した頬をほころばせて、

「大丈夫か文治」

と、茶の間に入って来た。

「大丈夫だ」

恭一は文治の体を案じている。台所に行くと、志津代が情のある目を文治に向けた。ふじ乃が大きな声で言った。

「文治さん、今度の餅はお供え餅だよ。お供え餅は一番大事な人についてもらうもんだからね」

みんなが「そうだとも、そうだとも」と相槌を打つ。この間の大掃除の時には、ふじ乃は神棚の神具磨きと、仏壇の仏具磨きを、文治と志津代にさせた。

「これから死ぬまで、この仕事はあんたがたの仕事だよ」

その時、ふじ乃はそう言った。嘉助の妻のウメが、小さい体を一層小さくして、しかし器用に豆餅をのしている。文治はウメの姿をちらりと見、土間に敷かれた莚の上の草履をつっかけた。相取りは志津代だった。

「いいぞ、いいぞ」

赤いたすきをきりりとしめた志津代が、きねを持った文治の傍に体を寄せて腰を落とすと、誰かがはやした。

「そうだ、もっと体をふっつけて」

相取りは、二人の体が離れては危ない。みんなが笑った。サイが臼に、蒸籠の米を移すと、白い湯気がほうほうと上がった。三味線が鳴り出した。餅をつく文治は幸せだった。

無事に供え餅をつき終った。志津代が素早く手水をつけて、のし台に運ぶ。澱粉をたっぷりふりまいたのし台に、つきたての餅が置かれた。ふじ乃が餅をちぎって、

「ほう、いいお供えがつけた。いいお供えだよ」

と、文治と志津代をねぎらう。女たちが馴れた手つきでそれぞれの供え餅を丸め始める。床の間に飾る供え餅はふじ乃、仏壇と神棚に供える餅は志津代、店の供え餅は嘉助の妻のウメ、台所、便所、蔵等々の供えを手伝いの女たちがそれぞれに丸める。ウメがいるので、誰も三郎の話は出さないが、出さない分だけ心にかかっている。働き者の三郎がこの場に

いれば、くるくるとよく立ち働き、手も八丁だが口も八丁で女たちを笑わす筈だった。今頃、この寒空に、どこにどうしているのかと、ウメを見ればつい誰しも思ってしまう。

供え餅を丸める間は、餅はつかない。男たちの前に、納豆餅や黄粉餅をタヨが運ぶ。

「おや、何だいあれは。今頃？」

恭一が言った。変に押しつぶしたような声は猫とも思われた。

「あ、カラスだ。何で夜カラスが鳴くのかな」

小僧の弥一が答える。小僧と言っても、弥一は店に入ってからめっきり背丈が伸びた。ちょっとみるといい若者だ。

「夜のカラスは……」

誰かが言いかけた。「縁起が悪い」という言葉を、目出たい餅つきに言ってはならぬと気づいたのだ。と、ふじ乃が言った。

「佐渡にはね、こんな唄があるよ。

カラス鳴くとて
気にかけしゃんすな
カラスその夜の

役で鳴く

ってね」

「へえー、何だって、カラス鳴くとて、気にかけしゃんすな？」

恭一が陽気な声で言う。ふじ乃がつづける。

「カラスその夜の役で鳴く」

「ほう、おもしろい唄だな。佐渡って、何だか行ってみたい所だな」

恭一はそう言ったが、文治は何か妙に不安な気がした。

五

つき上げたのし餅が、広い台所、茶の間、文治、志津代たちの新居、一面に敷いた古新聞紙の上に並べられている。手伝ってくれた男や女に膳が出、小宴が終わると、金一封を入れたのし袋と、餅の入った折箱が土産に出される。男たちは午後三時頃には大方帰るのだが、女たちはまだのし餅を切る仕事がある。餅が固くなり過ぎては庖丁の刃が立たない。柔らか過ぎては切りにくい。その適当な固さは明日になっては失われてしまう。切った餅は、白餅、豆餅、海苔餅、草餅、砂糖餅、いとこ餅等々、その種類に従って、幾つかの樽に詰められていく。この餅は一月一杯は食べるから、かびの生えぬように寒い土間に並べる。樽に入れられた餅は、がんがんに凍りついていて、これを取り出す時がまた一苦労だ。デレッキ（火掻き棒）を餅と餅の僅かな隙間に捩《ね》じこんで梃《てこ》とし、五、六枚ずつ凍ったまま茶の間に運んで、ストーブの傍《そば》で打ち叩く。そしてようやく一枚一枚になった餅を、ストーブの上に網わたしを置いて焼き上げるのだ。

「ごっつぉうさんでした」

「ごっつぉうさんでした」

男たちが口々に礼を言って帰って行くと、俄かに屋ぬちが静かになった。が、それも束の間で、女三人集まればかしましいのたとえに洩れず、男たちの前では出なかった話が次々と出た。子供の自慢話、姑や亭主の悪口、正月の晴着や料理のことなど、膳の後始末、餅切りなどをしながら、二、三人ずつ集まって、口も手も動く。

文治や志津代はとうに店に出ていた。朝方、とろりとはしたが、文治も志津代もほとんど眠ってはいない。だが、二十歳と十七歳の二人の顔に疲労の色はない。志津代は羽子板を買いに来た客に、あれこれと気長に相手になって選んだり、文治も醬油《しょうゆ》や砂糖を買いに来る女たちの相手をして、暮の二十八日はさすがに忙しい。いくら餅つきでも店を休むわけにはいかない。

若い女が臙脂《えんじ》の角巻を頭からかぶって入って来た。

「お内儀さんいる?」

暗くなった店に、ランプの灯がいつもより明るい。小僧の弥一が、

「はい、おりますが」

と、これも眠らぬ声とは思えぬ元気な声を出す。折よくふじ乃が顔を出した。

「お内儀さん、鯨汁の作り方ってわかる?」

鯨汁とはこの辺の正月料理の一つだ。角巻の女は今年新妻になったばかりなのだ。

「ああ知ってるよ」

ふじ乃は気さくに言い、

「昆布ダシを利かせてさ、人参や大根をトントントンと短冊に切ってね、コンニャク、わらび、それに豆腐なんか入れるんだよ。あ、豆腐はね、刃物を使っちゃいけないんだ。手づかみで適当な大きさに、鍋に入れ、それに鯨の脂肉を入れてね、塩でも醤油でも、好みの味でごとごと煮ればいいんだよ」

「ふーん、簡単そうだね。うちの人が鯨汁、鯨汁っていうから、どんなものかと思って聞いたら、何だお前、鯨汁も知らんのかって、笑われたの」

いつの間に出て来たのか、新太郎がふじ乃の傍に立って、

「わらわれたの？　ハハハハって？」

と尋ねた。思わず客もふじ乃も、志津代も文治も笑った。

その時だった。戸をがらりとあけて、二重回しを着た男が二人、ずいと店に入って来た。見かけぬ男たちであった。

「いらっしゃい」

ふじ乃、文治、弥一の声がいっせいに飛んだ。四十を幾つか越したと思われる男が先に立ち、ずり下がった縁なしの眼鏡を直しながら、店をぐるりと見まわした。後につづいて

来た男も、同じように、店の天井を仰いだ。二人は誰の顔も見ようとしない。年嵩《としかさ》の男は籐《とう》のステッキをついている。文治はいやな男たちだと思った。

「まあ今日はよくしばれますわね」

ふじ乃が声をかけると、男たちは初めてふじ乃に目を注《と》めた。と、二人の顔に驚きの色が走った。

「ほほう、鄙《ひな》には稀《まれ》な」

先に立った男が無遠慮に言い、その視線を志津代に移した。

「なるほど」

後の男も大きくうなずき、にやりと笑った。

「お客さんは旅の方ですね」

ふじ乃は明るく言った。

「さよう」

年上の男が、もったいらしくうなずいた。鼻下にひげを蓄えている。

「何をさし上げましょう」

ふじ乃はうさん臭げな顔は見せない。

「いや、わしたちは客ではない」

「と、申しますと？」

「お内儀さん、梶浦三郎さんに用があって来たんだがね」

男は見据えるように、ふじ乃を見た。

「え？　三郎にですか」

「そうだよ。その三郎さんを出してもらえんかね」

何かがあると察してふじ乃は言った。

「ここではなんですから、奥に入ってもらいましょうか」

ふじ乃は先に立って土間に出た。志津代が不安げに文治を見た。

「何かしら？」

「何だろうな」

文治が答えた時、サイが店に顔を出した。

「文治さんと志津代さんに、お内儀さんがすぐ来るようにって……」

店は小僧二人だけになる。ちゅうちょの色を見て取って、

「役にも立ちませんけど、わたしも店番をしてますよ」

と、サイは二人を促した。

文治と志津代が茶の間に入って行くと、今まで餅を切っていた女たちが、あわてて餅を

移していた。

「襖を立てておくれ、文治さん」

ふじ乃は座布団を男たちにすすめながら言った。男たちは二重回しを脱いで、ストーブの傍にどっかとあぐらをかいた。

最初から人を見くだしたような態度を取る男だった。しかし負けん気のふじ乃が、おどおどするわけはない。

「あんたがた、一体どこから来なさった?」

詰問口調でふじ乃が言った。

「おお、留萌《るもい》から来た」

年嵩の男が、それでもあぐらから正座に替えて、袂から大きな革の財布を出し、名刺をふじ乃の前に差し出した。ふじ乃は片手でそれを受け、傍らに坐っている文治と志津代に聞かせるように言った。

「金貸し業冬木剛造さんですか」

金貸しなどカネナカは縁がない。銀行をさえ、順平もふじ乃も恐れて取引しなかった。明治四十年、株式市場は大暴落に翻弄《ほんろう》された。つづいてその年アメリカに起った大恐慌は、日本の銀行に大打撃を与えた。全国二千二百店の中、百三十九行に取り付け騒ぎが起こり、四十七行が閉店に追いこまれた。北海道でも、北海道貯蓄銀行が明治四十一年五月五日、休業を宣言した。慎重な順平は、金は商売に回すもの、銀行などに寝かせておくものではないと、何れの銀行にも預けたことはなかった。いくらかたまった金は、順平とふじ乃だけが知っている押入の秘密の場所に匿《かく》してあった。

「お内儀さん、梶浦三郎さんはいないと言われたが、いつ頃帰りなさるかね」

冬木剛造はあぐらに戻ってきびしい顔をした。連れの男は上眼使いでちらりちらりと、ふじ乃、志津代、文治の様子をうかがっている。

「さあ、いつ戻って来るのやら、見当もつきませんね」

ふじ乃はそっけない。

「それは本当かね」

「本当ともさ。この二十三日に、朝早く家を出たっきり、行方が知れないんですよ」

「本当かね」

「何でわたしが嘘を言わねばならないんです？」

「お内儀さん、こりゃあ大ごとだよ。落ちついている場合じゃないよ」

冬木は体を前に乗り出して、じっとふじ乃の顔を見た。

「三郎が金でも借りていたんですか？」

ようやく気づいたように、ふじ乃は二人を見た。

「借りてるどころの騒ぎじゃないですぜ」

冬木は連れの男をかえりみて、「なあ」と言うようにうなずいた。

「百円も借りましたか」

ふじ乃は落ちついていた。

「百円？　冗談じゃない。五千円ですぜ、五千円」

男は片手を開いて見せた。文治は思わず息をのんだ。さすがのふじ乃も声がなかった。

大正元年のこの年、教員の初任給が十二、三円、巡査の初任給が十五円程度である。その巡査が五千円の借金をすれば、月々飲まず食わずに給料を丸々注ぎこんだとしても、二十八年近くかかる。

「お内儀さん、五千円と言やあ、この辺の漁師の家なら、二、三百戸建つほどの金だよ。冗談じゃない、ずらかられたとあっちゃあお内儀さん、あんたに何とかしてもらうより仕方がないねえ」

どすの利いた声だ。

「わたしに？　借りたのは三郎でしょ？　三郎の借金を、何でわたしが返さなきゃならないんだい？」

「お内儀さん、この話は少しも聞いちゃいないのかい?」

「何も聞いちゃいませんよ」

「そりゃおかしいな。保証人はお宅さんになっているんだよ」

「何ですって!? そんな話、文治さん、志津代、お前たち聞いていたかい」

　ふじ乃はこわばった顔を二人に向けた。

「いいえ、何も聞いておりません」

　文治は体が小刻みにふるえるのを覚えた。

「そちらさんが知らなくても、これこのとおり、これはお宅の実印でしょう?」

　突き出されて、ふじ乃は借用証書を手に取った。判の縁が一部欠けていて、まさしくそれはこの家の実印であった。その実印が保証人の名の下に鮮やかに押されてあったのだ。

「藪《やぶ》から棒に言われたって、何が何だかわかりゃしない。何でわたしたちが保証人になっているのか、よく飲みこめるように、話してくださいよ」

　ふじ乃の強い語調に、文治は驚いた。五千円という莫大な借金の問題に、自分は歯の根も合わぬほどにふるえが来ているのに、ふじ乃はいささかもたじろがない。

「もっともな話だ」

　冬木がかいつまんで話してくれたいきさつはこうだった。

今年の五月頃か、時々三郎が冬木の家に顔を見せるようになった。金を借りる用事ではなかった。むしろその反対で、金を使ってくれないかという相談であった。最初に持って来た金は二十円だった。次の月にも二十円持って来た。三郎の話では、自分は苫幌のカネナカの番頭で、店を一切委《まか》されているということだった。いや、店を委《まか》されているばかりではない。今年はカネナカの婿になるということであった。その三郎が、九月の末に、今度は多額の金を借りたいと言って来た。五千円という。そんな金を融通する余裕はないと言った。すると三郎は言った。

「カネナカが保証人だ。暮の二十五日までには必ず返す。万一のことがあっても、保証人がカネナカである以上、得にはなっても損にはならない取引だ」

そこで銀行や商売仲間から掻き集めて五千円を融通した。期限の十二月二十五日、一歩も外に出ず待っていたが、梶浦三郎は来なかった。カネナカの婿になるというので、信じ切っていたから二十六日も待った。人の噂に聞けば、ここには年頃の娘もいると言う。カネナカの番頭が、まさか嘘は言うまいと思って、昨日も待った。が、昨夜になってカネナカの番頭が逃げたという噂を聞いた。まさかとは思ったが、本当かも知れない。あいにくと今日は、約束があって遅くはなったが、午後の馬橇でやって来た。来る途中に、三郎の失踪は嘘ではないと知って、内心困惑した、という話であった。

話を聞いてふじ乃が言った。

「なるほど、大体の様子がそれでわかったけど、三郎は五千円の金を何に使うと言いました?」

冬木は連れの男と顔を見合わせたが、

「それですよ。相場に手を出して、ちょっと手元が狂った。なに、その道じゃ少しは苦労しているから、五千円あれば必ずあけた穴は埋めてみせる、とそう言ってたな」

「相場? あの男は相場なんか知りませんよ。今更がたがた言っても仕方のないことだけれど、あんたの今の話、どこまで本当だか、わたしは信用しませんよ」

「何!? 信用しない?」

男の声が大きくなった。

「そう。あんたら金貸しでしょう。三十前の男が五千円借りに来た。こりゃおかしいと思うのが、当り前じゃないか。五千円という金はね、大の男が一生働いたってたやすく残せる金じゃありませんよ。あんたがた、保証人がカネナカとみて、三郎の魂胆を知りながら話に乗ったんでしょうが」

男たちは黙った。

「三郎は最初っから、この家を潰《つぶ》すつもりで金を借りたのさ。あんたがたもそれを知っていた。それが証拠に、店に入って来た時、すぐにはこっちの顔を見ることが出来なかったじゃないか。女、子供だと思って、馬鹿にするんじゃないよ」

二人は思いがけない肚《はら》の据わったふじ乃の語調に度肝を抜かれた様子だった。

「札幌の金貸しにだって五千円はそうたやすく掻き集められる金じゃないだろう。本当に貸しているのかね。三郎の居所は、あんたらが知ってるんじゃないの」

「な、何だとう」

連れの男が喚《わめ》いた。

「何だい、その声は。こっちはね、判がこっちの実印だから、強いことは言えないが、何をって言いたいのは、こっちのほうだよ。この名前を書いたのは誰だい？　判なんてものは、持ち出そうと思えば、持ち出せるものさ。三郎は判のあり場所を知っていたよ。隙を見て借用証書に判を押すくらい、一分とかからないよ。五千円もの金を若いもんが借りるなんて、おかしいとどうして思わなかったんだい？　どうしてあんたら黙って貸したんだい？　それこそ馬橇で駆けつけたって半日の所じゃないか。問い合わせに来てくれたって、罰は当たらないだろう」

文治は、ふじ乃の言葉をもっともだと思った。自分は三郎が本当に五千円借りて行方をくらましたと思ったが、もしかしたら、ふじ乃の言うように、借用証書だけを作って、この男たちとぐるになって、カネナカを潰そうとしているのかも知れないと、文治は思った。

「とにかくね、この若いもんたちが、年が明けて二十日には祝言することになっているんだよ。話はそれからのことにしておくれ。今、ここで五千円出せったって、ある筈がないだろ。どうしても金が必要なら、今日の売上げぐらいは、店の銭函《ぜにばこ》から持って行きなよ」

一歩も引かないふじ乃の態度に、男たちはいささか押され気味であったが、

「とにかく世の中は、この借用証書がものを言うんだ。お内儀さん、威勢のいい挨拶もほどほどにするんだな。金がなけりゃ、この店や、蔵や、土地を差押さえるより仕方がねえな。ま、そのうち、執達吏がやって来るから楽しみに待っているんだな」

捨てぜりふを残して男たちは帰って行った。

いつの間にか手伝いの女達も帰っていた。

「おっかさん！」

今まで黙ってお茶など出していた志津代が、泣き声を上げた。

「何だい、泣いたりして」

ふじ乃が茶をすすった。

「口惜しい！　三郎にこんな目にあわされて」

志津代は袖で顔を覆った。

「全くだね志津代。忠義面をしてさ。こっちを油断させておいて、落し穴に……そんなに三郎はわたしたちが憎かったのかねえ」

ふじ乃の言葉に、文治はいたたまれない気がした。自分の存在が、結果的にはこの家に、五千円という思いもよらぬ多額の損失をもたらしたような気がした。

「どうするの、おっかさん、五千円なんていうお金」

「そんな金はカネナカにだってないよ」

「じゃどうするの?」

「じたばたしたって、仕方がないさ。証書がものを言う世の中だからね」

「だって、わたしたちの知ったことじゃないでしょう」

「知らなくても、判がついてりゃ……悪賢い者の肩を持っているような世の中だからねえ」

ふじ乃はもう諦めているような語調だった。

「それよりさ、文治さん、あんたどうなさるかね?」

「え? どうするって……」

「あんた、カネナカの婿さんになってくれる筈だったね。だけど、この家も、蔵も土地も取られて素っ裸になっては……まさか婿さんに来て欲しいとは、言えないよね。ね、志津代」

志津代は、はっとして文治を見た。先ほどふじ乃は、年が明けたら二人の祝言があると、あの男たちに言っていた筈だ。だが今、ふじ乃に言われてみれば、婿取りの条件が全く変わってしまったのだ。家も土地も失ったそのままで、祝言だけを挙げるわけにもいかない。志津代は、自分の体がずるずると土の中に引きこまれていくのを感じた。

「お内儀さん、今の事件と、祝言のこととは、別のことだとは思いますが」

文治はきっぱりと言った。

「え？　文治さん、それ本当かい？」

ふじ乃の声が不意にうるんだ。

新聞

新聞

一

背に太陽が暖かい。志津代は砂浜に坐って海を眺めていた。おだやかな夏の海だ。沖に大きな船が碇泊している。店に荷物を運んで来た船だ。小僧たちが漁船で、沖の船まで荷物を取りに行っている。志津代はその漁船を待っている。

どうしたわけか、天売《てうり》・焼尻《やぎしり》の島は見えない。雲が濃いのだ、と志津代は思った。だが、大きな船の浮かぶ彼方の空は、青く澄んで深い。不思議なこともあるものだと思う。と、すぐ近くまで漁船は近づいて来た。舳《へさき》に立って大きく手をふっているのは、三郎だった。

「まあ！　三郎！」

志津代は思わず声を上げた。と、たちまち三郎の顔が弥一の顔に変わった。志津代の胸が俄かに激しく動悸を打った。次の瞬間、志津代は目を覚ました。背に暖かい日射しと感じたのは、文治の体温であった。

長い汽笛を鳴らして過ぎて行く汽車の地響きがした。稚内《わっかない》へ行く朝の汽車だ。

（夢だったのだわ）

確かに今、まざまざと三郎の顔を見た筈だった。あんなにもはっきりと、夢は人の顔を映して見せてくれるものだろうか。もしあれが、夢ではなくて現実ならば、自分は三郎を何と言って責めただろうか。志津代は怒りのこみ上げるのを覚えた。

家から半丁ほど離れた所を、宗谷《そうや》線が走っている。旭川《あさひかわ》に来て、四カ月余り過ぎた。留萌《るもい》まで出なければ汽車など見ることの出来なかった苫幌《とまほろ》に育った志津代にとって、朝に夕に聞く汽笛は、いかにもよその土地に来た侘《わび》しさを誘った。

去年の十二月二十八日、あの餅つきの日を、志津代は忘れようとしても、一日として忘れることが出来なかった。突如、思いもかけぬ五千円もの借金の保証人に仕立てられていたと知ったあの日の驚きと憤りを、どうして耐えてくることが出来たのか、志津代は自分自身でも不思議だった。繰り返し繰り返し思いつづけてきたあの日のことは、寸分残らず胸に刻みつけられている。留萌の高利貸し冬木剛造が帰ったあと、ふじ乃と志津代と文治の三人は、何から手をつけていいのかわからなかった。志津代は口惜しさが先に立って泣いたし、文治は自分さえいなければ、五千円もの大金をふじ乃たちが失わずにすんだものをと、繰り返し言った。ふじ乃は、保証人の判が押されてある以上、じたばたしても仕方がないと、最初から善後策を考える気がなかった。

「おっかさん、誰かにすぐ相談してみたら?」

泣きながら志津代が言うと、ふじ乃は、

「相談？　誰に相談するんだい」

と、投げ出したように言った。

「お寺さんか、網元さんか、畳屋の親方にでも……」

分別のありそうな三人を挙げる志津代に、ふじ乃は首を横にふった。

「お寺さんは駄目だね。あの人は世間のことにうといからね。堪忍してやりなさいと、お説教するぐらいがやまだよ。網元は、近頃不漁つづきで仕事にいや気がさしている。そんな時に、人の相談に真剣に乗れやしないよ。畳屋の親方は侠気《おとこぎ》はあるけど、大きく騒ぐだけで、あの高利貸し相手に何か出来る人じゃない」

志津代はふじ乃の言葉に驚いた。ふじ乃は誰を頼ろうともしていない。

「おっかさんはね、志津代、こういう大変なことは、身内だけでとっくりと考えるのが、一番だと思うね。他人に相談するぐらいなら、文治さんのおっかさんと恭一さんに相談したほうがいいと思うよ。他人なんて、人の不幸を心から気の毒には思わないものさ。心のどこかでおもしろがっているもんなんだよ、志津代」

今考えても、あの時のふじ乃の分別は立派だったと志津代は思う。案の定、あとからいろいろな声が耳に入って来た。

「あれだけよく働く三郎を、婿にしておけば問題はなかったんだ」

「どこから見ても、文治は商売向きの男じゃないね」

「最初から志津代と一緒にさせるつもりで、三郎を連れて来たってえ話じゃないか」

「五千円という大金を横領されてもいいさ。わしらが一生かかっても持てぬだけの財産はあるんだからな」

　などなど、聞こえてきた陰口には、日頃面倒を見てやった筈の者たちからの言葉もあった。むろん、ふじ乃や志津代の前では、大変な災難だったと涙をこぼす者や、三郎を罵って、悲憤慷慨《ひふんこうがい》する者も少なくなかったが、「他人の不幸は蜜より甘い」という西洋の諺《ことわざ》を、志津代は思ったことだった。

　あの夜、すぐにキワと恭一が呼ばれた。

「呼び立てて悪かったけれど……」

　ふじ乃から事の次第を聞いた二人は、しばらくは言葉もなかった。

「……こんなことになってしまってね、文治さんと志津代のこと、どうしたものかねえ」

　先に文治にも言った言葉を、ふじ乃はキワたちにも言った。キワは深々と頭を下げ、

「わたしどもとしては、もうとうに文治はお宅さまに差し上げたつもりですから」

　と、静かに答えた。恭一もまた、

「まだ祝言をすませていないだけの話で、文治もおふくろと同じ気持だと思います」

　と、ためらうふうもなかった。志津代は三郎への憤りに燃えてはいたが、文治たち三人のその言葉に、深い真実をしみじみと感じたのだった。ふじ乃はしばらくは袖口を目に当てていたが、

「何とお礼を言ってよいか……」

　と、幾度も頭を下げた。キワが言った。

「いえいえ当然のことですよ。死んだこの子たちの父親がよく言いました。夫婦っていうものは、嵐吹く時が大事なんだ。嵐の吹く時も、晴の日と同じようにしっかりと心が結ばれていなくちゃいかんと、よく言ったものでした。文治、このことを忘れてはいけないよ」

　今考えると、嵐も嵐、大暴風のような事件に巻きこまれた中で、あのようなことを言えたキワは、ありがたい姑だと志津代は思う。

　五千円の保証の具体的な相談についても、ふじ乃、志津代、キワ、恭一、文治の五人の心は揃った。土地と蔵と店を手放すことにすれば、保証人の責を果たすことは出来るとふじ乃が言った。

「それにしても、本当に五千円も貸したのだろうか。山形屋の常客の中には、こうしたことに詳しい客もいる。その人に聞いてみたらどうだろう」

と恭一が言った。それは以前、弁護士の書生になっていたことのある人物で、いわゆる三百代言をしているのだが、評判のよい人間だということだった。この人が間に立てば、安心かも知れぬとキワも言った。ふじ乃はちょっと考えていたが、結局は二人の勧めに従った。

奥沢というその男を、翌朝早く、恭一が留萌まで迎えに行って来た。奥沢は、一部始終を聞いて、

「五千円もの金を青二才に貸す奴がいるものか」

と、冬木剛造たちのやり方を激しく怒って言った。

「近隣に聞こえた名うての悪い奴らだが、わしもがっちり取っ組んでみましょう」

奥沢は噂のとおり正義漢のようであった。奥沢は、蔵と土地とを手放しても、店と住居とは借りる形にして、このまま店をつづけていってはどうかと、ふじ乃に勧めた。キワも恭一も、そのほうがいいと奥沢の言葉に賛成したが、ふじ乃は、

「ありがたい話だけど、あんな冬木のような人間たちと少しでも関わりを持つのはごめんですよ。それにさ、この沿岸の店屋は、言ってみれば、毎年大きな博打《ばくち》をしてるようなものでね。漁がよければ商売はどんと大きくなるけど、四十二年と四十三年の、あんな大不漁に遭っちゃ、網元だって金の払いが悪かったじゃないか。このところ鰊漁《にしんりょう》は昔のようではないか

らねえ。この店もこのままでは、何年後にはじり貧になるよ。文治さんにそんな苦労はさせたくないし、わたしだって、そろそろ店の仕事はやめたくなったしさ」

と、店に未練はなかった。そのふじ乃にあえて反対する者はなかった。誰の目にも、カネナカの店は、そのままつづけたほうが得策と見えたが、ふじ乃の気性をキワも文治ものみこんでいた。その後、奥沢は、どうやって話をつけたのかは知らないが、蔵の中の商品も、店の商品もすべて売り尽くして、四月までには明け渡す。但し、利子は一銭も払わないと決めてくれた。恭一はやはり警察に訴えて、三郎と冬木たちを取り調べてもらってはどうかと奥沢に言ったが、奥沢は、今までの経験ではうまくいったためしはない、証書がものを言う世の中だからと、それには賛成しなかった。それでも恭一は、一人で駐在所に出向いてみた。が、駐在は「ふん」「ふん」と話を聞いた後、

「この広い日本のどこに逃げたか、三郎を探しようはあるまい。第一、法律上の手続きを踏んでの借金だから、罪人でもない人間を追いかけるわけにもいかんな。ま、将棋でも指していかんか」

と、のんきな答えだった。

大晦日までは、通い帳で売っていた得意先にも、新年からはすべて現金売りとなった。その分だけ安く売ったから、近郊から買いに来る漁師や農家も増えた。そんな中で、一月

二十日、予定どおり文治と志津代の祝言を挙げた。ふじ乃はいたずらに見栄を張ることなく、

「今までのカネナカとはちがうから」

と、二十人ほどの客を招いて披露をした。芸者も呼ばない、妙にひっそりとした披露宴だった。苫幌には婚礼の時、「樽入れ」という風習があった。いや、これはこの沿岸一帯に見られる慣習だった。若者たちが五人、十人と連れ立って、大きな空の徳利や一升瓶をぶら下げて祝いにやって来る。祝いは若者たちの唄であったり、踊りであったり、あるいは手作りの品や、小銭であった。若者の代表が、花婿花嫁に祝辞を述べ、この夫婦にあやかりたいと、持って来た空の一升瓶や徳利に酒を乞い、料理をもらって退散する。だが、文治と志津代の婚礼の場には、若者たちも顔を見せなかった。あやかることの出来ない大変な祝言であることを、村の若者たちも心得ていた。五千円という、気の遠くなるような横領を被《こうむ》ったカネナカに、酒をねだることはさすがに出来なかったのだろう。

しかし、家屋敷を失うとはいえ、こつこつと順平の貯めた金が、カネナカにはあった。千円を少し越えていた。その半分をふじ乃は志津代と文治に与え、半分は自分が取って、それぞれに好きな町に行って暮そうと言った。志津代は、キワや恭一のいる、生まれ故郷の苫幌からそう遠くはない札幌か、旭川に出たいと思った。が、ふじ乃は東京に出たいと言った。ふじ乃と別れて暮すのは、志津代には本意ではなかった。まだ六歳の新太郎を連れて、

見も知らぬ東京で、母は何をして暮そうというのか、志津代は気がかりだった。

　志津代は反対したが、ふじ乃は東京は故郷の佐渡に近いと言って、東京行きを主張した。文治はふじ乃に従って東京に行こうと志津代に言った。文治も東京には三年いたことがある。だが、その文治にしても内心は親のいる北海道にいたいのだろうと、志津代は思いやった。

　いよいよ三月も半ばとなり、家屋敷明け渡しの日が近づいた頃、ある朝ふじ乃は貧血を起こして倒れた。三郎失跡以来の心労が重なっての貧血だった。八重の父木村医師は、東京までの大旅行には到底耐えられないと中止を勧めた。

「ほらね、おっかさん。東京までは無理よ。二日も三日も汽車に乗ったり、船に乗ったり、容易じゃないわ。しかも新太郎を連れて行くんだもの」

　志津代はふじ乃に言った。三人は改めてどこに出て行こうかと、キワや恭一も交えて話し合った。札幌より旭川が近いということで、結局立ち退き先は旭川と決まった。札幌には文治の弟の哲三がいたが、今の場合、哲三は却《かえ》って足手まといになるかも知れぬと、恭一が言った。

「旭川には師団があるし、道庁が旭川に移る話もあるわけだから、将来性のある街だよ、旭川は」

恭一はそうも言った。ふじ乃は、東京でなければ、札幌であろうが旭川であろうが、どちらでもいいことであった。というわけで、四月早々、まだ雪の残っている苫幌を後にして、四人は旭川に移って来た。去年の今頃は夢想だにしなかった移転であった。苫幌の人々は、さすがに泣いて四人の馬橇を見送ってくれた。風呂屋のお内儀は肥った肩をふるわせて、誰よりも大きな声で泣いた。女中のサイは、給料は要らぬから自分も連れて行ってくれと最後まで言い続けたし、子守のタヨは、新太郎を抱きしめて放そうとはしなかった。網元も畳屋の親方も、突っ立ったまま、何か言おうとしても言葉にならなかった。苫幌の人々にとって、子供も大人も、カネナカの存在は憩いの場であり、懐《なつ》かしい思い出の場であった。が、その大勢の見送りの人々の中に、元番頭の嘉助夫婦の姿はなかった。

文治と志津代の婚礼があって、月が改まった二月一日の昼だった。ふじ乃は作ったいなり寿司を弥一に持たせて、嘉助の家にやった。と、すぐに弥一が真っ青な顔で飛んで来た。弥一はがくがくとあごを動かすばかりで、ものも言えない。何かあったと察して、ふじ乃と文治が目と鼻の先の嘉助の家に駆けつけた。嘉助とウメは茶の間の鴨居に、首を括《くく》って下がっていた。嘉助の書き置きがあった。日頃は達筆の嘉助が、ふるえる文字で書き残したのは三郎のことだった。

「長年おせわになったお店に、三郎の奴がとんでもないことをいたしました。何とお詫びを申し上げてよいか、唯々申し訳なさで、身の縮む思いでございました。一日も早く死んでお詫びをしたいと、家内とも話し合っていたことでしたが、目出たい婚礼の前に死んではならぬと、今日の日までこらえて参りました。この家も土地も、僅かばかりの家財も、一切お内儀様にお捧げいたします。何卒《なにとぞ》私共の胸中お察し下されたく、死んだところでお詫びとなるわけではありませんが、唯々お許しのほど、お願いいたします。

お内儀様、志津代様、文治様、新太郎様、くれぐれもお達者でお過し下さいませ。私共二人は、亡き旦那様のお傍に行って謝罪し、お仕え申します。主従は三世と申しますから、お内儀様たちを死んでお守りしたいと思います」

三郎のことで、ふじ乃は嘉助を一度も責めたことはなかった。三郎を連れて来た心の底に、志津代の婿にさせたい気持があったか否かは知らないが、嘉助は忠実な番頭であった。ふじ乃は、鴨居から下がった二人の姿に、へなへなと畳の上に崩折れた。

それもこれも、いまだに悪夢を見ているような思いがする。上りの列車が近づいて来た。畳がかすかに振動する。機関車の蒸気の音が意外に大きく耳を衝《つ》いた。志津代はそっと寝返りを打って文治の顔を見た。文治は口をかすかにあけて、ぐっすりと寝こんでいる。この家は、文治と志津代が、三月の半ばに旭川に来て、三日がかりで探し当てた家だった。玄関を入って、とっつきが八畳の茶の間で、玄関の両脇に六畳間があった。左手の六畳間の奥に、もう一つ六畳の奥の間があって、そこには床の間もついていた。台所には造りつけの大きな戸棚があり、その戸棚の裏側が、風呂場になっていた。一戸建ての平屋だった。家賃が四円というのも手頃だった。何より二人が気に入ったのは、玄関の両隣りに部屋があるという間取りだった。襖《ふすま》一つ隔てて隣室というのでは、ふじ乃に遠慮で、おそらく二人は寝物語りも出来ないにちがいない。

この辺りは閑静な住宅街である。この家には裏にも表にも僅かながら空地があって、それも二人は気に入った。

旭川に出て、家の中が片づかぬ中に、文治は毎日職を探してまわった。幸い旭川にも山形屋の常連の客がいた。薬種商、小間物商、靴屋、洋服屋、貴金属商等を始め、全国から苫幌に流れて来る行商人は七十種を超え、人数も年六百は軽く超えていた。その中には旭川から来る呉服商、小間物商、種物商、時計屋等、幾種かの行商人がいたのである。行商と言っても、言わば外商で、旭川では店舗を構えて手広く商っている者も幾人かいた。

働こうと思えば、病院の受付、呉服商の店員、印刷屋の校正係等、幾らもあった。が、決めかねているうちに、文治は文房具屋に紹介され、地元の新聞社に入社することが出来た。新聞社に就職すると言った時、

「え？　新聞屋？」

ふじ乃は露骨に眉をひそめた。そのふじ乃の気持は、文治にも志津代にもよくわかった。昨年の秋、留萌《るもい》のある病院の院長が、看護婦に妊娠させたという記事が、でかでかと出た。医者が新聞記者に金をつかませなかったからだと、もっぱらの噂であった。金さえつかませれば、書かねばならぬことも書かず、金を出さねば、たちまちにして醜聞を公けにするのが新聞記者だと誰もが思っている。それはごく一部の、赤新聞と言われる小さな新聞社のすることとだったが、一般の者には、大新聞もゴロ新聞も区別がない。

「わたしは反対だね」

ふじ乃が言った。だが、文治には夢があった。東京の北上宏明の家で、文治は何人もの新聞記者に会っている。だが、文治には夢があった。

新聞記者に会っている。立派な新聞記者の働きも見ている。自由民権運動が、憲法発布以来下火になったかの如く見えたが、北上の家に集まる者は、皆気骨があった。先年、冤罪《えんざい》で処刑された幸徳秋水を始め、様々な人間が北上家に出入りしていた。北上宏明は嚶鳴《おうめい》社系の運動家だったが、それ以上に、篤信のキリスト教徒だった。脱獄した文治の父長吉をかくまいつづけることが出来たのは、運動家であると同時に、信仰があったからだと文治は思っている。その北上の最も尊敬する義人田中正造は栃木新聞を経営していた。正造は足尾銅山の鉱毒から農民を救うために、惨憺《さんたん》たる苦労をし、その惨状を明治天皇に直訴した人物である。

この田中正造が、社長兼主筆に迎えた野村本之助は僅か二十三歳であった。北上と同じく嚶鳴社系の演説家でもあった。この野村本之助の人物を、田中正造は、

「野村氏の言行は真に神の如し、これ予の師とするところ、実に人民あってより以来、未だ此《かく》の如く言行の正しきものを見ず」

と敬服している。この話を文治は北上から聞いていた。田中正造の名前はふじ乃も知っている。その正造が新聞社を経営し、その主筆野村を神のようだと讃えているなら、新聞記者が皆ごろつきだと見ていたのは間違いだったと、ふじ乃は素直に文治の言い分を認めた。

「そのかわり、どんなことがあっても、変な新聞記者にはならないでよ」

ふじ乃は釘を刺した。志津代はちょっとすねて、

「文治さんは、頼まれてもおかしなことは出来ない人よ」

と、文治を立てた。

「田中正造先生のお陰だな。俺が新聞記者になれたのは」

文治は新聞社に入って以来、時々そんなことを言って来た。その田中正造が、つい先日、八月二日にこの世を去った。入社して数カ月の文治は、むろんその記事を書く地位にはなかった。が、文治は、自分一人で、北上から聞いていた田中正造のエピソードを自分のノー

トに書きとめて、正造の死を悼んだ。新聞には、葬儀に集まった人々が五万人もいたと報ぜられた。ふじ乃は、

「五万人もお弔いに集まったってね。大変な偉い人だったんだね。こんな偉い人が新聞社をやっていたんだね」

と、文治の仕事を見直すふうであった。志津代は、文治が目を覚まさぬように、そっと布団からすべり出た。まだ八月だというのに、朝の空気は冷たかった。

二

新聞社の出勤は朝が遅かった。記者という約束で勤めはしたものの、警察回りや役所回りで、文治は先輩記者の後に従いて歩くだけのことが多かった。それでも時には小さな記事を書かせてもらい、主筆にはいい文章だとほめられていた。文治は「社会の木鐸《ぼくたく》」という言葉が好きで、時でもない時に新太郎が「社会のぼくたく」と言って、みんなを笑わせた。

文治を送り出したふじ乃と志津代は、茶を入れて、丸テーブルの傍に寄った。

「ねえ、志津代、月給取の家族なんて、のんきなもんだねえ」

三十七歳とは見えない張りのある肌に、ふじ乃の健康はすっかり回復したと、志津代は改めて思った。

「そうね。店屋とはちがうわね」

「志津代、わたしなんかね、朝目を覚ますと、あ、小僧たちを起こさなくちゃとか、店の戸を開けなくちゃと、時々思うことがあるんだよ。店をやめてから六カ月も経《た》つというのにね、雑貨屋のお内儀が、身に沁みついているのかねえ」

「そうなのね。わたしも同じだわ。いつも苫幌の夢ばかり見るわ。ご不浄に起きた時なんか、カネナカのつもりで、ついこの壁のほうを開けようとするの。そんな時寂しいわ」

　ふじ乃は黙ってうなずいた。全く、苫幌での生活は目まぐるしかった。店をあけないうちから叩き起こされて、一日が始まることもあった。朝食もそこそこに店に出て、来る客来る客を相手にする。時には昨夜の夫婦喧嘩を聞かされたり、嫁の悪口を聞かされたり、呉服物を選ぶ相手をしているうちに、あっという間に正午になる。昼飯時に来た客は、皆台所に誘いこんで食事をさせる。ここでも愚痴だの自慢話を聞きながら、賑やかなひと時を過ごす。漬物の小樽が一日に一つずつ消えていくとサイが呆れていたが、

「客の来る家は繁昌するんだよ」

　と、ふじ乃は笑い流してきた。午後も蔵に行ったり、店に出たり、こまめに体を動かして半日が過ぎる。夕食が終わって風呂に入ったあとは、けだるい眠りに誘われて、欲も得もなしに眠ったものだった。

　それが、旭川に来て生活ががらりと変わった。一日中誰も訪ねて来ない日がほとんどだ。客が好きで、賑やかなことの好きなふじ乃には、それが一番耐え難い。何しろ、朝起きて、志津代が食事の準備をする間に、ふじ乃が家の中を掃除する。朝食が終わって、ふじ乃が跡始末をしている間に、志津代が洗濯をする。女二人いれば、こんな小さな家の中では、束の間に仕事は終わる。

文治のいない昼食はお茶漬などで簡単にすませる。午後は何か縫おうと思っても、苫幌を出た時に、古着は近所の漁師の女房たちに分けて来て、さし当たって繕うものもない。二、三丁行った商店街に買物に行くのが唯一の楽しみで、何となくふじ乃は体をもて余している。気分転換の早いふじ乃は、思い出すのか、出さないのか、三郎のサの字も口に出さない。そんなふじ乃を志津代は偉いと思う。時に、そんなふじ乃をほめると、

「おっかさんはね、佐渡《さど》で貧乏をしたからね。こちゃこちゃものを考えるほど、つまらないことはないと、小さい時から思ってきたんだよ。生きている以上、楽しく生きなきゃあ、馬鹿らしいじゃないか」

と、ふじ乃は明るい。その貧しかった佐渡の生活の話も、ふじ乃は滅多にしてくれない。志津代は、母も佐渡の家族に会いたいだろうと、この頃になって思うようになった。貧しい母が、身売りのような結婚をして、否応なく北海道に来たことを思えば、住みたい東京に住まわせてやったほうが、よかったのではないかと、時に思うことがある。

「ああ、おいしいお茶だこと。もう一杯いれてよ」

ふじ乃は言い、

「ね、志津代。おっかさんね、何だか体がうずうずしてくるんだよ。何か、そば屋でもやりたいような気がしてね」

「そば屋？」

「ああ、そば屋でも、お汁粉屋でもいいよ。あの十五丁目界隈なら、屋台のお焼屋の売り上げだって、馬鹿にならないよ」

「おっかさんはやっぱり、カネナカのお内儀さんね」

　志津代は笑った。

「そうかも知れないね。だけどね、志津代。坐して食らへば山もむなし、とかいうじゃないか。まだ千円の金はあるよ、二人合わせてね。でも、このお金はないと思って生きたほうが、利口じゃないのかね」

「そうねえ」

　志津代には千円は大金に思われる。人が一代かかっても、なかなか残せる金ではない。その金を持っていて、何も今更そば屋だとか汁粉屋などで忙しく暮すことはないのではないか。贅沢さえしなければ、そうそう食いつぶすことはあるまい。そうは思ったが、志津代は、「そうねえ」とうなずいて見せた。

「それともさ、思いきって貸家でも建てて、家賃で食べるというのはどうかねえ」

「そうね、そのほうがいいわ。でも、近頃は家賃の払いの悪い人も多いというから、思ったほどでもないかも知れないわ」

「まあ志津代ったら、分別臭いことを言って、どっちがおっかさんだかわからない」

ふじ乃が笑った。と、その時玄関の戸ががらりとあいて、

「おっかさん、誰か来たよ」

と、外で遊んでいた新太郎が駆けこんで来た。ふじ乃と志津代が顔を見合わせた。まだ昼前である。客の訪問を受ける時間ではない。志津代が障子をあけると、人力車から下りて、車夫に金を払っている男のうしろ姿が見えた。洋服を着たその姿は、この辺では見かけない瀟洒《しょうしゃ》な姿だった。

「誰かしら?」

「誰だろ?」

二人は同時に呟《つぶや》いた。と、男は紺の風呂敷包みを下げて門の中に入って来る。志津代はその顔を見て、はっとした。見たことのある顔だ。が、とっさには思い出せない。そう思う間もなく、男は新太郎があけ放した入口に立っていた。

「まあ！　増野さんじゃないですか」

ふじ乃の声が上ずった。

(増野!?)

志津代は息をのんだ。言われてみれば、背広姿の男は確かにあの呉服物屋の行商人増野

録郎であった。志津代がまだ子供の頃のことで、記憶はうすれていたが、確かに増野にちがいなかった。増野は玄関に入って、

「やあ、ごぶさたしていました」

と、懐《なつ》かしそうにふじ乃を見、志津代を見、

「いとさん、えろうきれいなご新造さんになりましたなあ」

と、目を瞠《みは》った。志津代は増野と知っては、挨拶の言葉がなかった。どうしてこの家を増野が知ったのか。もしやふじ乃が知らせたのではないかと、心がかげった。が、その疑いはふじ乃の言葉ですぐに晴れた。

「どうしてここがわかりました?」

不審げなふじ乃の問いに、

「それやああんた、地獄耳ですさかい……実はな、ここの婿はんが北上はんに、旭川に移ったこと、カネナカさんの災難のこと、一部始終書き送りましたやろ。それを、北上はんから聞きましてな」

増野もその昔には、短期間ながら自由民権運動に関わっていたことを、ふじ乃も知っていた。

「それでな、わてはもう仰天しましてな、すぐに飛んで行こう思いましたんやけど、今日に

なってしもうて、えろうすまんことでした」

先月の初めに聞いて、一カ月も経たぬうちに駆けつけるとは、親戚でも出来ないことだと、志津代は増野とふじ乃の関係が今更のように濃いものに思われてうとましかった。

「それはまあ、心にかけていただいて……けれどどうぞご心配なく。気楽な毎日を送っていますから」

ふじ乃は急に冷《さ》めた声になった。それまで入口で珍しそうに増野を見ていた新太郎が、

「おじさん、こんにちは」

と言って、ぺこりと頭を下げた。増野はふり返って、

「おお、賢そうなぼんぼんやな。このぼんぼんに会うのは、わては初めてやな」

新太郎は、にこっと笑って、

「ぼんぼんって、なあに？　おぼんのこと？」

と小首を傾けた。志津代はふじ乃の顔を見た。ふじ乃の顔がやや青ざめて見える。志津代は増野と新太郎を見比べて、この二人が親子であることを思った。

三

仏壇の前に香典袋を供え、手を合わせている増野録郎の姿を、志津代は苦々しい思いで見つめていた。この家には不似合なほどの立派な仏壇の中に、父の順平の位牌《いはい》と、小さな写真があった。苫幌《とまほろ》には写真屋などなかったから、順平も滅多に写真を撮ったことはない。東京の仕入先で、何かの機会に写してもらったという写真が、仏壇の中に飾ってあった。十年は前の写真らしく、色が少し黄色く変わっていた。

増野は神妙に合掌していたが、深々と一礼して、

「や、どうも、お詣りさせてもろうて、おおきにありがとうさんでした」

と、うしろで手を合わせていたふじ乃と志津代のほうに向き、頭を下げた。ふじ乃は、

「ごていねいに」

と、礼を返したが、志津代は礼を返す気にもなれなかった。父の死を早めたのは、結局はこの男なのだという恨みが胸にもたげていたからだ。母の妊娠を知って、どれほど父が苦しんだか、そしてその苦しみの果てに、母と自分に責め立てられるように、あっけなく死んでいった。この男が旭川までわが家をはるばる訪ねて来たのはいかなる魂胆か、油断

がならないという思いに、志津代の顔はこわばっていた。

柱に寄りかかって大人たちを見ていた新太郎が、立ち上がる増野に、

「小父さん、どこからきたの?」

と、すぐにまつわった。志津代は目を伏せて、先に茶の間に戻った。

「まあ、この子ったら……お客さんなど見たことがないもんだから珍しいんですよ」

言いながらふじ乃が先に茶の間に入って来た。増野は新太郎を抱き上げ、

「お、これは重い。ずっしりとして米俵のようやな」

と笑いながら、新太郎を抱いたまま奥の間を出た。志津代は茶の用意をしながら、ちらりとふじ乃を見た。ふじ乃は増野と新太郎をじっと見つめている。志津代はふっと、胸が熱くなった。今、生まれて初めて、新太郎は自分の父の膝に坐ることが出来たのだ。新太郎が不意に哀れに思われた。新太郎の身になって思うと、増野への恨みが不思議にうすれていくのを、志津代はわれながら妙な気がした。

「新太郎、小父さんが重いわよ。膝から下りなさい」

ふじ乃は乾いた声で言った。こんなものの言い方をする時、ふじ乃は自分を制しているのだ。

「ええわ、ええわ、な、ぼんぼん」

増野が如才なく答えると、新太郎が、

「ぼく、ぼんぼんでないもん。新太郎だもん」

と、増野の膝を下りた。

「さよか、しんたろはんか。ええ名前やな。どう書くんや?」

増野は新太郎を見、ふじ乃を見た。ふじ乃が口を開く前に、新太郎が増野を見上げて、

「あんね、あたらしい太郎って書くの」

時々ふじ乃が人に言う言葉を覚えて、新太郎は言った。増野は目を細め、

「ほう、かしこいなあ。もう本字を覚えとるんかいな」

と、新太郎の頭をなでた。新太郎はちょっと照れて、

「ぼく、けんちゃんと遊んでくる」

と立ち上がった。苫幌にいた頃、ふじ乃にまつわる度に、「いい子だから外に遊びに行っておいで」と、よく言われた新太郎は、今、増野に賢いとほめられると、外に遊びに出たほうが、もっと賢く思われるのだと、子供なりに考えた。増野は気づいたように、

「ちいと待ちいな。小父さん、お土産を買うて来たでな」

と、風呂敷包みから菓子箱を取り出し、新太郎に手渡した。新太郎はうれしそうに受け取って、

「小父さん、ありがと」

　と、つぶらな目をくりくりと動かした。うれしい時の癖である。もらった菓子折を、新太郎は仏壇に持って行き、ちりんと鉦《かね》を鳴らすと、外に飛び出して行った。

「お父っつぁんがいのうなって、淋しいやろな、ぼんぼんも」

　言った増野の視線を、ふじ乃は跳《は》ね返すように強く見返していたが、

「増野さん、今度はどこまでまわられますか」

　と、さりげなくお茶をひと口飲んだ。

「どこまで？　ああ、行商いうことな。わてはな、実はもう四年も前から、行商はやめとんのや」

「まあ！　それで、今度は何の用事で？」

「さっきも言うたように、カネナカはんの災難聞いて、お見舞に来たんですわ」

「只それだけのことで？」

「そりゃ、そうや。気いばかりはやっても、北海道はほんまに遠過ぎてな、こんなん遅うなってしもうたんや」

　八月の初めに聞いて、ひと月も経《た》たぬうちに駆けつけたと、増野が言った先ほどの言葉を、ふじ乃はどうやらうわの空で聞いたらしい。志津代は、明らかにふじ乃が、一見落ち

ついて見えながら、実は動転しているのを改めて知った。もしかしたら、二人っきりで語り合いたいこともあるのではないか。そうは思ったが、しかし志津代は今、座を外す気にはなれなかった。死んだ順平が、この座を去ってはならぬと言っているような気がするのだ。

志津代は茶箪笥から買い置きの栗饅頭を出して、増野の前に置いた。ふじ乃が言った。

「わたしはまた、商売の途中かと思った。そうですか、わざわざ来て下さったんですか」

礼を言ったらよいのか、悪いのか、ふじ乃は少し戸惑うようであった。

「そりゃな、災難のこと聞いたら、お内儀はんや、あとのことが気になりますわな。ま、それはそれとして、お内儀はん、わてはな、今東京に店を開いていますんや。呉服の店をな」

「東京に？」

「そうや。やっぱりお江戸は、今じゃ日本の都やな。わしら上方《かみがた》のもんから見れば、都は京やと思うていましたがな。実はな、行商の時にえろう世話になった問屋さんがな、何や滅法《めっぽう》わてを気に入ってくれはってな、資本を出すやさかい、東京に店を持たんか言うてくれはったんや。幸い、わてもぽちぽち金を貯えていたところやったし、その問屋はまちがいないお店やし、思い切って東京へ出ましたんや。それが運の開け始めでしてな、今じゃ、新橋柳橋の芸妓はんたちにはむろんのこと、政財界のご夫人連にも『増善《ますぜん》』いうたら、知らぬ人のない店になりましてな。お陰さんで味能《あんじょう》やっておりますわ」

「それはそれは、結構なことでした」

ようやくふじ乃がいつものふじ乃に戻ったようだった。

「そんなわけでな……」

増野は栗饅頭を二つに割って、何か考える顔になったが、

「お内儀さん、もし何やったら、東京に出なはるお気持あらへんか思いましてな」

増野はちらりと志津代を見た。志津代はお盆の上を布巾で拭きながら、指の先がふるえる思いであった。

「東京ねえ。ほんとはね、増野さん、わたしよっぽど東京に出ようかと思ったんですよ。今更《いまさら》佐渡《さど》には戻る気はないけれど、東京なら佐渡にも近いし……志津代は苫幌生まれだから、東京より北海道のほうがいいらしいけれど、わたしはやっぱり向こうの人間ね、自分で自分をよそもんという思いがぬけないんですよ。何せ、十八まで向こうで育ったんだからね」

「じゃ、東京に行きますか、お内儀はん」

増野はうれしそうに言って、お茶をぐいと飲んだ。

「行きたいわねえ」

ふじ乃は吐息のようにそう言って、志津代を見つめた。志津代は、ここで自分が何か言

うべきかも知れないと思った。だが黙って、火鉢の上の鉄瓶をちょっと置き替えただけだった。

「行きたけりゃ行きましょ。東京は第一にあたたかい。冬も雪など滅多に降らんし、こっちの雪がまだ融《と》けんうちに桜が咲く。それだけでも大したちがいですわ。人が仰山《ぎょうさん》いるから商売しても、それこそ『鐘一つ売れぬ日はなし江戸の春』ですわ」

「なるほどねえ、やっぱりお江戸はいいねえ。わたしは賑やかなことが好きだから、こんな旭川で毎日ひっそり暮らすなんて、性に合わないんだよ。貧乏性なのかねえ」

志津代は、自分と母は、顔や姿は似ていても、気性は全くちがうのだとしみじみ思った。志津代は月給取の妻として、静かな今の生活を幸せだと思っている。騒がしい東京になど出て行きたいとはさらさら思わない。が、母はやはり東京に出たいのかと思った。

「いやいや、貧乏性とはちがう。お内儀はん、あんたはまだ自分の値打ちを知らん人ですわ。お内儀はんほどの器量よしは、江戸にも京にも、滅多におりませんで」

「またそんな」

ふじ乃の顔に生気があふれて来た。

「わての言うことが、嘘かほんまか、東京に出なはったらようわかります。しかもな、お内儀はんは器量がいいばかりではない。そこにいるだけで、何とのうあたりがぱっと明るくなる、お内儀はんは生まれつきの花や。大変な花やとわては思いますのや」

「………」

「こんなこと言うたら、怒られますやろか。お内儀はんは芸妓はんになったかて、なったその日から売れっ妓になれます。銀座のどこぞの店に坐っているだけで、人が吸われるように寄って来ます。お内儀はんは都で花を咲かすお人や。こんな所で一生を埋もらすには惜しいお人や」

　増野は熱心に言った。と、不意にふじ乃が笑った。

「増野さん、あんた呉服物を売るのもうまいけど、人をおだてるのもうまいわねえ」

「うまいなんて、そんな……」

「増野さん、でもね、あんたが東京にいないんなら東京に出やすいけれど、いられるとわかった今は、ちょっと出にくいわねえ」

「え!?」

　あわてたように増野は志津代を見、ふじ乃を見た。

「増野さん、志津代は何もかも知っていますよ」

　ふじ乃は突き放すように言った。

「何もかも!?」

「そうよ、何もかもよ」

　志津代は今こそこの場を立たねばならないと思った。が、呪縛にかかったように体が動かない。母は一体何を言い出そうとしているのか、どこまで言おうとしているのか、志津代は不安に胸が疼《うず》いた。

「増野さん、あんた、あの夜のこと、まさか忘れていないでしょう」

「…………」

「うちで泥棒騒ぎのあったこと、忘れちゃいないでしょう」

「…………」

「この子がお父っつぁんに、泥棒を見たと言ったのよ。あの人、それで何もかもわかってしまってね。その翌年、あの新太郎が生まれたのさ」

「え？　あのぼんぼんが!?」

「そう、あんたの子供さ。そんなことで、どれほどあの人を苦しめたことか。わたしも苦しんだけど……あの人が突然死んだのは、結局はそのことを言い争って……」

　不意にふじ乃の声が涙にくもった。志津代はたまらなくなって、台所に走った。ふじ乃のすすり上げる声が、流し台に寄りかかった志津代の耳にひびいた。志津代の胸に、「水、水」と言いながら倒れて死んでいった順平の顔が、鮮やかに浮かんだ。志津代は凝然と立ちつくした。

四

文治は、志津代とふじ乃に送られて家を出た。新聞社の出勤は遅い。ほとんどの男たちが職場に行き、子供たちも学校に行ったあとの、もう朝とは言えないこの時刻は、街通りも妙に静かだった。それでも四、五歳の子供たちが、路地の陰に走りこんだり、家の前のどぶを棒で突ついたりして遊んでいるのが、今日の文治には特にほほえましかった。

(明日は九月九日、重陽か)

暖かい初秋の日射しだ。

昨夜、床の中で、志津代が言った。

「あのね……」

「何だい？」

「あの……恥ずかしいから、そっちを見てて」

「恥ずかしい？」

一つの床の中にあって、恥ずかしいという志津代をいとおしく思いながら、文治は首だけ壁に向けた。

「あのね、わたし……」

　言葉が途切れた。

「何だい？」

　思わず文治の首がくるりと志津代に向いた。

「駄目よ、こっちを見ては」

「早く言えよ、志津代」

　文治は再び壁を見た。

「あのう、赤ちゃんがね、出来たらしいの」

「えーっ!? 赤ちゃんが？」

　文治は床の上に起き上がった。志津代が恥ずかしそうに目を伏せた。文治の体の中を、言い難い衝撃が走った。いや、感動というべきかも知れなかった。

「ほんとかい、志津代！」

　文治は叫ぶなり、志津代の体を抱きしめた。志津代は文治の胸に顔を埋《うず》めて、

「ありがとう、文治さん」

　と言った。その言葉が文治に、志津代を一層いとおしいものに思わせた。志津代はその胎内に赤児が宿ったことを感謝している。文治も言った。

「ありがとう、志津代」

昨夜のその感動が尾を引いていた。

通りの角に来ると、二抱えもある大きな枝垂れ柳があった。太いが低い柳だ。

「おじちゃん、行ってらっしゃい」

頭の上で声がした。新太郎の顔がにこっと笑いかけていた。

「ああ、行って来るよ。新太郎、気をつけるんだぞ」

文治は片手を上げてふった。今朝は何もかもがうれしい。見る風景がすべて変わった。そんな喜びだ。四条の大通りを、文治は下駄を鳴らして行く。袴が衣ずれの音を立てる。大島の懐にはノートが一冊と小さな万年筆入れが入っている。紙とペンだけが商売道具なのだ。人力車屋の前で車夫たちが、大きな犬を相手に遊んでいた。その隣りの下駄屋の店に、紅緒の子供の下駄が吊し柿のように吊るされていた。下駄屋の隣は金魚屋で、大きな水槽に青い藻が一杯になびき、赤や白の金魚が見え隠れしていた。文治は、あと何年もしないうちにあの下駄屋で子供の下駄を買い、子供の手を引いてこの金魚屋に、志津代と三人でやって来る自分の姿を思った。その子はなぜか、志津代に似た女の子のような気がした。その子を膝に、夫婦相乗りで、この人力車屋から、常磐《ときわ》公園にでも遊びに行きたいものだと思う。この子供好きの文治には、新太郎もむろんかわいいが、ほかならぬ志津代と自分の血を分けた子が、一人の人間として生まれてくることは、何とも神秘的で、かつ不思議な喜びを与えることであった。

（ちょうどいい土産話が出来た）

十五日には休みをもらって、苫幌のキワと恭一を訪ねることになっていた。志津代が妊娠したとわかっては、連れて行くことは無理だった。たとえ妊娠していなくても、辛い思いで出て来た苫幌には、志津代を連れて行く気はなかった。ふじ乃も志津代も、その文治の心遣いに感謝はしたが、ふじ乃は言った。

「それはそれ、これはこれですよ。嫁の志津代がお姑さんの所に、年に一度くらいは顔を出さなきゃ、嫁としての義理が立たないじゃないの」

が、妊娠とわかっては、さすがにふじ乃も、

「申し訳ないけど、今回は失礼するわね。今が一番大事な時だからね」

と、強《し》いて連れて行けとは言わなかった。

醤油《しょうゆ》醸造屋の前を通ると、大豆を煮る匂いが湯気のように店先に漂っていた。その醤油醸造屋の町内にポストがあった。文治はノートに挟んである封書をノートから取り出して、ポストに近づいた。宛名は増野録郎様となっている。差出人はふじ乃だが、書いたのは文治だった。

「字なんか忘れっちまったから」

ふじ乃はそう言ったが、文治と志津代は、ふじ乃が字を忘れているとは思わなかった。まだ三十七や八で、字を忘れてしまう筈はない。多分ふじ乃は、自分が筆を持っては、余りにも書くことが多く、筆の滑りを制しようがないと思ったのであろうと、二人は察した。

増野録郎は東京に着くや否や、ふじ乃宛に部厚い手紙をよこした。そこには、

「あの数年前の一夜のことは、一夜と雖《いえど》も決して遊び心ではなかった。主ある人に懸想する罪の深さは重々知りながら、やむにやまれぬ想いのなした業であった。その後行商をやめたのも、行商にかこつけて再々苫幌に足を向けてはならぬと自戒したからでもあった。まさか、自分の子が生まれているなどとはつゆ知らず、あの夜のことは儚《はかな》い夢であったと諦めていた。長年連れ添った夫婦の中にさえ、子の生まれぬことのあるものを、只の一度の契りで子供が与えられたということは、前世からの約束でもあろうかと、深い縁《えにし》を感じている。新太郎が紛《まぎ》れもなくわが子であると知っては、戸籍上はともあれ、父としての責任を痛感せずにはいられない。せめて月々、養育費なりと送らせていただきたい。と言って、これで責任逃れをしようなどという思いはさらさらなく、せめてもの心尽くしとして受けていただければありがたい。新太郎について、今後、齢を重ねるにつれて、問題の出てくることもあろうから、その折はぜひ相談してほしい。そうしていただけるなら幸いである

と思う。それにしても、カネナカさんの苦しみ、それに劣らぬふじ乃どのの苦しみ、そしてまた志津代どのの悲しみなどを思うと、申し訳なさでお詫びの言葉もなくなるという次第。と言う舌の根も乾かぬうちに、思ってはならぬことを思う自分を嘲《わら》ってほしい」

この手紙に対して、ふじ乃が書いてほしいと言った言葉は、そっけなかった。

「子供が出来たということを、そのように大きいことと思わないでほしい。何かのはずみで生まれることも、人の世にはあるのだから。あの時、新太郎のことを言ってしまったのは、余りにも浅はかだったと悔やんでいる。わざわざ知らせなければならない必要はない筈だった。新太郎を養うぐらいの金はあるから、今回限りで送金は打ち切ってほしい。新太郎にとって父親は、あくまでも仏壇の中の順平だから、そのつもりで生涯親子の名乗りなどしないでほしい。今のうちは子供だが、そのうち知恵もついて、あなたの存在を不思議に思うようになっては、死んだ順平にも申し訳がない。あなたも妻子のある身故、いよいよ家族を大事に過して欲しい。新太郎のことは、こちらにも責任のあることだから、今日限り放念していただきたい」

新太郎の出生については既に志津代から聞いていた。また、増野の顔も、文治は知っている。増野が山形屋の客であったからだ。が、九月に増野が来旭した時に見た顔は、以前の増野とはかなり様子がちがっていた。人間というものは、商売の浮き沈みによっても、こんなにも変わるものかと、文治は思った。文治はその増野に手紙を書きながら、二つの顔が交互に浮かぶのをどうすることも出来なかった。もしもこの手紙が、増野の妻の目にふれたなら、どんな事態になるのだろうと恐ろしくもあった。増野は宛名を店に指定して来て、店なら誰に知れる心配もないと書き添えてあったが、文治は、目にふれてはならぬ手紙を書いているうしろめたさがいやだった。

ポストの中に、ぽとりと重い音を立てて手紙は落ちた。

編集室の扉を押して、

「お早うございます」

と、文治はいつものように挨拶をした。今日は文治は遊軍で、いってみれば一日留守番をする役であった。事務員一人のほかは、まだ先輩の三人の記者たちは出勤していなかったが、長である真崎編集長だけは、どうしたわけか既に出勤していて、大きな声で電話をかけながら、鉛筆を走らせている最中だった。二十畳ほどの部屋に、机が五、六脚あって、どの机の上も雑誌や新聞が乱雑に積み重ねられていた。

「へえー、医者がなあ……自分の体具合の悪いのを押して、真夜中に往診した。……そしてその帰り道、自分が死んだ……こりゃあ記事になるよ。うん、美談だもなあ。しかし、そんな医者も苫幌にいたんだなあ」

真崎編集長の声がびんびんとひびく。必要以上に大きな声なのだ。文治は鉛筆を削りながら、聞くともなく聞いていた。と、思いがけなく苫幌という地名が耳に聞こえてきた。一瞬、苫幌という字が、目の前で踊ったような気がした。

「……苫幌と言えば……うん、よし、わかった。……いや、ありがとう。じゃ、また」

電話が切れたと思った途端に、

「おいっ、中津！」

真崎編集長の声が飛んだ。面長な顔に口ひげをたくわえ、縁なし眼鏡をかけた真崎は、上背があって袴姿がよく似合った。いかにも豪放な新聞記者のタイプであった。

「はいっ」

文治は椅子を立った。

「お前、確か苫幌だったな」

真崎は腕組みのまま、文治を見据えるように見た。

「はいっ」

「十五日には苫幌に帰省をしたいので、休みを欲しいと言ってたな」

「はっ」

「どうせ帰るんなら、今日すぐ帰れ」

新聞社勤めに、文治も少しは馴れてきた。電話一本で、右に走ったり左に走ったりするのが日常だ。半鐘の音と共に、火事場もわからずに社を飛び出して行く。それが新聞記者のあり方だった。だから、突然何を言われても、どこへ行けと言われても、驚くことはなかった。が、今の言葉には驚いた。地元紙のこの小さな新聞社では行動半径は狭い。地方に足を延ばしては採算が取れない。急ぎの時には人力車を走らせなければならない。それでは経済が持たなかった。ところが今、苫幌に行けという。

「苫幌に何かあったんですか」

「うん。近来にない美談だぞ」

「はあ」

「中津、苫幌に木村という医者がいたか」

「はい、います。木村春之先生です。先生がどうかしましたか」

木村春之は八重の父親だ。

「ほう、知ってるか」

「知ってるどころじゃありません。ぼくの家の二軒おいて隣です」

文治は、そこの婿にと望まれさえしたのだ。

「先生がどうかしましたか」

「うん。その木村っていう医者がなあ。近頃健康が優れなかったそうだ。ところがな、漁師が急病になった。卒中か何かだったんだな。往診を頼みに駆けこんで来たわけだ。家人は、体が悪いから往診は無理だととめた。ところが、その医師は行くと言った。貧しい家の一家の柱が倒れては、これから家族はどうやって食っていく。そう木村医師は思ったんだな。そして出かけた。幸い病人は、一命を取りとめた。が医者は帰りの坂道で……浜から山の手に登る道は急坂だそうだな」

　編集長は眼鏡越しに、大きな目でぎょろりと文治を見た。

「はい、胸を突くような坂道です。それで木村先生は？」

「そこで倒れた」

「倒れた!?」

「うん、死んだ」

「死んだ!?　本当ですか？　編集長！」

「何で俺が嘘を言う」

「そうですか。……いい先生だったのになあ……」

「そうだってな。実は、金物屋の岡本が昨日苫幌に商売に行ってたんだそうだ。そこでこの事件にぶつかって、今電話をかけてきたんだ。葬式は明日になるらしい。片田舎での出来事だが、これはみんなに知らせたい話だ。お前、旅費は半額持ってやるから、葬式の話や村人の話など集めて来い」

「はい……」

「何でも……貧しい病人からは、金を取らない医者だったそうだな」

「そういう人です、木村先生って」

　文治は目を大きく開いて天井を睨んだ。木村医師の明るい笑顔が浮かんで、涙がこぼれそうになったからだ。

「そうか。じゃ、この事件はお前が書け。お前の故郷の事件だからな。がっちり取り組めよ」

「はい」

　八重の嘆きが思いやられた。

「じゃ、家に帰って、用意をしてすぐに発ちます」

「うん、ご苦労。金はこの中にある」

　編集長は懐から縞の財布を出して机の上に置いた。ふくらんだ財布を見て、

「そんなに……」

　と、うろたえる文治に、編集長は大声で笑った。

「中津、財布だからといって、必ずしも金が入っているとは限らんぞ。俺の財布は質札と借

用証でふくらんでいるかも知れんからな」

言いながら財布を開き、五十銭銀貨を十枚出してよこした。

「ご、五円もですか」

留萌《るもい》までの汽車賃は往復一円五十銭かかるかどうかだ。

「余ったら、おふくろさんにでもやるんだな」

編集長はまた忙しそうに受話器を取った。

幸い、ちょうどよい留萌行きの汽車があった。留萌までは三時間余りかかった。留萌からは定期便の馬車が出ていた。が、馬車は歩みがのろい。その上、あちこちの駅亭で人が乗り降りし、物を積んだり、おろしたりしなければならない。留萌から苫幌までの十二里余りの道は、馬車では通夜に間に合いそうもない。文治は留萌で馬を借り、苫幌への浜沿いの道を走らせた。何ヶ月ぶりかの海の色も、潮の香も懐かしかった。大雪山《だいせつざん》の高峰を仰ぐ盆地の旭川の町とはちがって、海は限りなく広々としていた。

今、海沿いの道を馬を駆る文治の心は複雑だった。志津代の妊娠を聞いた喜びと、木村医師の痛ましい死を聞いた辛さと、生まれ故郷の苫幌に帰って、母や兄に会う懐《なつ》かしさと、三つの思いがこもごも現れては消え、消えては現れる。

七時に始まる通夜の一時間半前に、文治はわが家に着いた。当然、通夜の手伝いに駆り出されていると思った母と兄が、案に相違して家にいた。電報で呼ばれた木村家の親戚の者たちが山形屋の客となったから、二人は通夜の席に出かけるどころではなかった。そればかりか、通夜のために酒や夕食の膳の用意をキワも分担しなければならなかった。近所の若い娘や主婦が数人、手伝いに来ていた。

「お前んとこにも、電報が行ったのか」

文治の背広姿を珍しげに見ながら、恭一は驚いて言った。

「いや、業務命令だ」

文治は事の次第を手短かに告げた。

「それはご苦労さんだったねえ。文治、お前ずいぶん丈夫そうになったじゃないの」

キワは素早く酢の物を小鉢に取り分けながら、手を休めずに言った。

「うん、母さんも元気そうだね」

ふじ乃と志津代から託された土産物は、後で出したほうがよい、妊娠の話も後でゆっくりするほうがよいと文治は判断した。

「とにかく、俺、先生のところへ行って来る」

「腹が空いたろう。飯をかっこんで行け」

恭一の言葉には、変らぬぬくもりがあった。キワが言った。

「ま、顔と手でも洗っておいで。おにぎりはたくさんつくってあるから」

言われて背広を脱ぎ、ワイシャツの腕をまくりながら廊下に出ると、恭一があとに従いて来た。

「文治、よく来てくれたなあ。実は俺、参っていたんだ」

恭一らしからぬ弱音であった。

「参っていた？」

「うん、俺が病人に頼まれてさ、それで、俺先生に頼んでやったんだ。体が悪いとは聞いていたけれど、毎日ぶらぶらこの辺歩いてたからなあ。人の体の辛さなんて、わからんもんだ」

「うん……」

「八重に泣かれてなあ。何だか、責任を感じてよ。どうしようもない気持なんだ」

文治は洗う手をとめて、恭一をまじまじと見た。

新　聞

火の粉

火の粉

一

昼飯をあべ川餅ですませたふじ乃が、新太郎を連れて近くの商店街に買初めに出かけた。

志津代が紘治に乳房をふくませている傍らで、文治が新聞を読んでいる。時折、紘治がにこっと笑う。天井に下がっているまゆ玉を見つめているのだ。志津代は紘治を抱いたまま、まゆ玉を見上げる。おかめの笑顔がぶらさがっている。千両と書いた金色の小判、双六《すごろく》の賽《さい》等が、静かに揺れている。ストーブの熱気で空気が動いているためだ。

まゆ玉を見ると、志津代は苫幌《とまほろ》のカネナカ時代を思い出す。何もかも捨てて来たつもりだが、思い出は捨てきれるものではなかった。店の帳場に坐っていた順平の姿が、志津代の胸に先ほどから浮かんでいる。順平が死んで、この正月で三年目になった。

（お父っつぁん）

胸の中で呟《つぶや》いた時、紘治が志津代を見て、また笑った。柔らかい頬に可愛い笑くぼが浮かぶ。

（お父っつぁんに、この紘治を抱かせたかった）

「ねえ、紘治」

志津代は呼びかけた。去年の五月二十日に紘治は生まれた。まだ八カ月と経ってはいないが、正月を迎えて二歳となった。濃い眉、澄んだ黒い目、文治に似ているのか、志津代に似ているのか、人は様々に言う。志津代はちらりと傍らの文治を見た。文治も志津代を見た。

「おだやかな正月だな。大正も四年になったか」

文治が羽織のひもを結び直しながら言った。二人が結婚したのは大正二年の一月だった。

「ほんとうね」

「旭川《あさひかわ》に出て、二度目の正月か」

「早いわねえ」

「正月のせいか、苫幌を思い出すなあ」

「あら、あなたも。わたしも今、お父っつぁんのことを思い出していたの」

「俺もだ。お父っつぁんが生きていて下さったら、二人はまだ苫幌にいることが出来たんだな」

「苫幌のほうがよかった?」

「うん、まあな」

文治は視線を窓に移した。雪がふわふわと降っている。昨日の元旦までの三日つづいた寒気が去って、雪の日となった。雪の降る日が暖かいと言えば、雪のない国の人には、不思議に聞こえるかも知れない。二人共、二冬目を迎えながら、肌を突き刺すような旭川の寒さには、まだ馴れなかった。苫幌も風は突き刺すように寒かった筈だが、零下三十度にも下がる旭川の寒さとはちがっていた。朝、外に出ると鼻毛が粘る。まつ毛がねばつく。吐く息がたちまち前髪を白く凍らせる。こんな寒さは、苫幌にはなかった。よくしたもので、その代り旭川は風が少ない。少しの風もない、という日がある。そんな日は、凍った空気の中に、家々の煙突から出る煙が真っすぐ立ち昇る。苫幌の煙突から出る煙は、右に左に、上に下にと目まぐるしく変わっていて、煙が真っすぐに立ち昇ることなど文治は見たことがなかった。が、今年の四月学校に行く新太郎の描く煙は、たいてい真っすぐに昇っている。まちがっても下に向かう煙を描くことなどはない。

「人の一生って、自分の願いどおりにはいかないもんなんでしょうね」

「そりゃあそうさ。だけどね、誰かが言っていたよ。十の願いのうち、一つ叶《かな》えられたら、それはもうけっこうな人生だってさ」

文治は志津代のそばに寄って、紘治の頰を指で突ついた。紘治は乳首から口を離して、のどを鳴らして笑った。

「そうね。わたし、あなたと一緒になれたんだもの、それで充分にけっこうな人生よね」

　志津代は微笑した。

「そうだよなあ、志津代と結婚出来たんだもなあ」

　少年の頃から、志津代に憧れの想いを抱いていた文治は、改めてうなずいた。

　が、文治の心の中に、何かたゆたうものが尾を引いている。一昨年、八重の父が死んだ。その時文治は、

〈往診の帰途、人情医師命尽きる〉

　と、題して、挿絵入りの探訪記事を書いた。木村医師の、死の前後の模様、通夜や告別式の様子、村人たち幾人かの木村医師についての思い出等が盛りこまれ、思いがけなく評判の記事となった。滅多に人をほめることのない真崎編集長も、その時ばかりは、

「うむ、おぬし、なかなかやるじゃないか」

　と、文治を見てにやりと笑った。記者見習として入社した文治だったが、その時以来一本立ちの記者として、大いに用いられるようになった。僅かの間に、文治は腕利きの記者として、社長にも目をかけられるようになったのだ。だが、文治は幾つかの壁にぶつかった。市内の政治家、経済人たちの訪問記事の連載が企画され文治が担当となった。第一日目は、ある木材会社の社長であった。編集長は文治の言行を一読して、

「おい、何だこれは!?」

と、机の上に投げ出した。

「いけませんか」

文治は少しむっとした。

「いけませんか? 冗談じゃないよ。これを読んでだな、読者が、この男を偉い人間だと思うかね」

「…………」

「つまらぬ人間だと、誰しも思うよ」

「はい、わたしもそう思ったから、俗物のように書きました」

文治は真っすぐに編集長を見た。

「馬鹿言え! 新聞社というのはな、何で生きているんだ?」

「ペンで生きていると思います」

「なあるほど、俺もそう言いたいよ。いや、最初のうちは俺もそう言っていた。が、お前だってわかっているだろう。われわれ新聞屋はな、広告で生きてるんだ。ペンより大事なものは太鼓だよ。太鼓を叩くことが重要なんだ」

「…………」

「つまらん男を、さも偉い者のように持ち上げる。ざらにある顔の女を、今はやりの、現代美人とうたう。それが一番大切なことさ」

文治は、その連載担当からおろしてくれと言った。

「馬鹿野郎、何をねぼけたことを言っている。こんな訪問記事も書けずに、一人前の記者と言えるか」

編集長は、文治の願いを取り上げようとはしなかった。その二十回の連載記事の担当が、文治には憂鬱だった。明らかに汚ない手を使って業界にのし上がった実業家、口を開けば敵方の悪口雑言を言う政治家、何軒もの別宅に女を囲いながら、教育論をふりまわす顔役等々を、さも偉い人物であるかのように描き上げるのは、文治には苦痛であった。むしろ文治としては、彼らの矛盾や不正を衝《つ》いて糾弾したい思いであった。社会の木鐸《ぼくたく》である記者は、金とは無関係に、自分の意見を述べるべきだと思った。そんな辛さを文治はふっと志津代に洩らしたことがあった。その時志津代は言った。

「あなたは正直な人だから、嘘など書ける筈はありません。だから、絶対に嘘など、書かなければいいのよ」

「しかし、それでは編集長が許さないんだよ」

「ですから、嘘はつかないといいのよ」

「じゃ、どうやって？」

「あのね、どんな人間にも必ず長所があるでしょ。その長所を書けば嘘にはならないわ」

「なるほど」

文治は思わず膝を叩いた。確かに、どんないやな人間にも、長所がない筈はない。短気だが正直だとか、女にはだらしがないが人情味があるとか、金にはルーズだが寛容だとか、長所と短所が背中合わせになっているのが人間だ。その長所に目を注《と》めて何かエピソードを引き出したなら、気持のいい訪問記事になるかも知れない。嘘は書かないわけだから、書かれる者も読む者も、その文に真実を読みとってくれるかも知れない。そう思って、文治は力を得たのだった。その文治の記事が、さわやかさを紙面に盛り上げ、俄かに発行部数が伸びた。記事を書かれた者が大量に買いこんだこともあったが、文治の良心的な記事が、読者にうけたことにも因はあった。

こうして文治は、志津代の示唆に富んだ言葉で、一つの山を乗り越えたが、昨年の暮にまたいやなことが持ち上がった。ある政治家の息子が、路上で連れの友人を殴って、傷を負わせた。この政治家の息子は、酒癖の悪いことで有名だった。殴られたのは、小学校時代の友人で、夜業を終えて帰る途中の職工だった。飲みに行こうと誘われて断ると、いきなり打ってかかられた。殴り倒された友人は、頭と肩に全治三週間の怪我をした。

その原稿を読むと、編集長は直ちに政治家の家に電話をした。文治には何も言わずに受話器を取ったので、文治はその場を去るべきか、立って待つべきかに迷った。が、そのまま机の前に突っ立っていた。

「ああ、先生。北報新聞の真崎です。お元気ですか。いやあ、実は、誰にも内緒で電話をしてるんですがねえ。お宅の息子さんの昨夜の件ですが、うちの若い記者の原稿を見て、驚きました。こりゃあ何ですな、新聞に出されちゃ、先生の名に関わりますな。あちこち手はまわされたとは思いますが、うちにはまだお電話がなかったところを見ると、先生はまだご存じない。……ああ、今、お電話下さるところだったんですか。いや、それならいいんです。わたしも然るべく……はあ、はあ……なあに、ご心配なく。え、まあ、そんなことです。じゃ、また」

聞いていて、文治は頭に血が上るのを感じた。これでは一種の脅しではないか。その脅しに、こともあろうに自分の原稿が使われた。文治は腹の煮え滾《たぎ》るのを抑えて言った。

「編集長、今の電話は一体何です。脅しじゃありませんか」

真崎はにやにやして、

「脅し？　人聞きの悪いことを言うな。俺は一度だって、金を出さなきゃあ書くぞ、などとは言わなかったぞ。この記事は出さないと言っただけだ」

「それは詭弁《きべん》です」

「詭弁か、人偏か知らないが、酒を飲んだ上のことだ。お前みたいに、そうムキになって書かれちゃ、旭川の人間は枕を高くして眠れないぞ。酒の上の喧嘩や、いざこざは、毎晩どこの家でも起きていることよ。十軒のうち、半分はまあごたついているんじゃないか」

「……………」

「そう怒るなよ。昨夜、この事件よりもっと大変な事件が、夫婦、親子の中になかったとは言えないんだぜ。その一大事は見逃して、こんな事件をでかでかと書くのは、不公平と言うものではないか」

「……………」

「今の電話一本で、向こうさんはどうするかは知らんが、あの程度痛めつけりゃ充分だ。え？社会の木鐸！」

折角の原稿を握りつぶされた上、意外な結末になって、文治はどうにも不満だった。編集長の性格は嫌いではなかった。男らしく、磊落《らいらく》で、人情味もある。だが、仕事への姿勢が文治とは時々食いちがうのだ。現実と理想のちがいというべきか。このことについては、まだ志津代には話していない。年末からの憂鬱な暗い思いが、年が明けても、まだ文治の胸に澱《おり》のように沈んでいた。紘治という愛らしい子を得ての、初めての正月だというのに、心晴れ晴れとはいかないのが、残念でもあった。

二

「ただいまあ！」

玄関で新太郎の大きな声がした。「お帰り」と言う間もなく、

「あのね、苫幌のおじちゃんたちもきたよ」

新太郎の声が弾んでいる。

「え!?　伯父ちゃんたち?」

志津代が言い、文治が立ち上がった。襖をあけて文治が飛び出して行き、志津代もあわてて紘治を隣室の小布団の中に寝かせ、玄関に出た。今、門から恭一と、水色の角巻を着たふじ乃が入って来るところだった。そのうしろに、赤い角巻姿が見えた。

「いらっしゃい」

文治と志津代が叫んだが、うしろの若い女が気にかかった。

「よお、おめでとう。元気かい、みんな」

「そこの角でね、恭一さんと偶然一緒になったんだよ。珍しい人を連れて来たよ」

「大して珍しくもないけどよ、八重ちゃんだ」

恭一がちょっと照れくさそうに言いながら、玄関に入った。

「まあ！　八重ちゃん、八重ちゃんなの」

志津代の声がオクターブ高くなった。

「よく来たね、兄さんも八重ちゃんも」

文治が言い、志津代が座敷箒でみんなの雪を払った。雪がはらはらと三和土《たたき》の上に落ちた。

恭一が鳥打帽ともじりを脱いだ。

「志津代ちゃん」

箒を持った志津代の手にしがみついて、一瞬八重は肩をふるわせたが、

「久しぶりだねえ」

と、志津代を見つめた。

茶の間に通った二人に、早速黒塗りの膳が用意された。

「手っ取り早く言えばよ、文治、俺、こいつと一緒になることにしたんだ」

恭一は鼻を二、三度掌でこするようにした。

「そりゃあよかった。おめでとう」

言った文治の顔を、八重がちらりと見た。邪気のない視線だった。

「八重ちゃんはさ」

恭一はふじ乃の注ぐ酒を盃に受けて、

「もう文治のことは、けろりと忘れたそうだ」

と、人ごとのように言った。八重が臙脂《えんじ》の袂《たもと》で軽く恭一を打ち、

「あらいやだ。子供の時の話なんかしないでよ」

八重はまだ子供の表情で言った。何となくみんなが笑った。志津代と文治が顔を見合わせてうなずいた。

「そんなことになるんじゃないかと思ってたよ、ぼくはね」

今度は文治が恭一に酌をした。黒豆、金ぴらごぼう、大根と人参の酢の物、煮〆、うま煮などが、二人の膳の上に並べられている。恭一は、うま煮の蓮根を口に運びながら、

「へえー、どうしてだい?」

と、文治を見、八重を見た。

「木村先生が亡くなった時さ。あの時、兄貴は八重ちゃんのことばかり言ってたじゃないか。八重に泣かれて、かなわんのだって」

「あら、そんなこと言ってたの、この人」

八重が情をふくんだ目になった。

「お似合いだよ、この二人」

じっと八重を見つめていたふじ乃が言った。その言葉に親身なひびきがあった。

「恭一さんはいくつだったっけ」

「二十五です」

「八重ちゃんは、志津代と同じだったわね」

「はい、二十《はたち》です。ちょっと、とうが立ちました」

十九は重苦に通ずるとして、十八までに結婚しなかった女性は、二十になってから嫁ぎ急ぐ。

「でもさ、お義兄《にい》さんは長男でしょ」

志津代が不審げに言った。

「そうだよ」

「八重ちゃんは一人娘でしょ。結婚出来るの？」

長男が婿入りすることも、長女が嫁入りすることも法律上許されていなかった。家が絶えるからだ。

「なあに、その辺はぬかりはないさ。哲三が、来月早々、木村家の養子になる」

「え？　でも、八重ちゃんと夫婦になるわけじゃないでしょ？」

「夫婦になられてたまるか。木村家の養子さ。つまり、それで木村家には息子が一人出来たわけさ。八重ちゃんは一人娘じゃないということさ」

「ああ、なるほど。戸籍上、二人のきょうだいになれば、八重ちゃんは嫁に行けるわね」

「八重ちゃんが結婚してしまったら、そのあと哲三は、籍を元にかえせばいいんだ」

「なるほどなあ。そういうからくりかい。どこか軍隊の員数合わせのようなものだな」

「とにかく、俺たちの子供が何人か出来るだろ。そのうちの一人に、木村の家を継がせれば、ま、問題はないんじゃないか」

恭一の言葉にふじ乃が手を打って、

「なあんだ、そんないい手があるのねえ。わたしの生まれた佐渡ではさ、一人息子と一人娘が添えなくて、心中した事件があったけどね。あの人たち、何も死ぬことはなかったのね」

と、その時、隣の部屋で紘治の泣く声がした。

「ああ、紘治だ。文治、母さんがね、紘治の顔が見たいって、毎日のように言ってるよ」

志津代が立って、紘治を抱えて来た。

「おお、大きくなったなあ。なんだ、文治の小さい時そっくりじゃないか」

「あら、恭一さん、文治さんと僅か二つしかちがわないじゃないの。赤ちゃんの文治さんを知ってるの？」

恭一が紘治を志津代の手から抱き取って、

「写真で見てるよ。うちに泊った客に写真屋がいて、撮ってくれたんだってさ。な、文治。こりゃ正《まさ》しく文治の子だな」

恭一は紘治の頬に頬ずりした。みんなの視線が紘治と恭一の上に集まった。

「不思議だねえ」

しみじみとふじ乃が言った。その傍らで、新太郎が大人たちの言葉に耳を傾けていた。

「不思議って、何が？」

志津代が尋ねた。

「だってさ、わたしが生んだわけじゃない。恭一さんの子でもない。それなのに、紘治は、わたしとも、恭一さんとも血がつながっているじゃないか」

「なるほどね。ぼくの甥が、カネナカのお内儀さんの孫というわけか」

八重が紘治を抱き取った。

「紘治ちゃん。あら笑った。可愛い子ね。なんて可愛いんでしょ」

新太郎が上目づかいに八重を見た。

「こんな可愛い赤ちゃん、見たことないわ。紘治ちゃんって、糸偏の紘だったわね。どんな意味なの、文治さん」

「紘ってのはね、八重ちゃん、地の果てっていう意味さ。地の果てまで治める、という意味になるかな」

「地の果てまで治める⁉　まるで王さまかお殿さまみたいね」

「いや、俺としては、心の中の地の果てという気持ちなんだ。それと世界平和かな」

「とにかく、そりゃ大変なことだわ。紘治ちゃん、頑張って」

そう言った時だった。じっと話を聞いていた新太郎が叫んだ。

「紘治なんてめんこくない！　紘治なんてがんばれないぞ！」

と、茶の間を飛び出して、玄関のほうに行った。思わずみんなが笑った。

恭一が頭を掻《か》いた。

「悪かったなあ。紘治のことばっかり言って」

「ほんとにね」

八重も首をすくめた。ふじ乃が首を横にふって、

「なあに、かまいませんよ。あの子は、今まで長いこと、末っ子でみんなにちやほやされてきたんだから。志津代とは齢も離れていて、末っ子というより一人っ子みたいなものよ。それで、妬いてるのよ。やっかみなのよ」

ふじ乃は声を立てて笑ったが、今度は誰も笑わなかった。今の新太郎の、「紘治なんてめんこくない」と言った言葉が、誰の胸にも引っかかったからだ。

「ところで兄さん、式はいつになるの?」

「うん、雪が融けてからと思っている」

「それがいいな。母さんも、八重ちゃんのお母さんも、むろん賛成なんだろうね」

「うちのおふくろは、あのとおりの人だから、お前には過ぎた嫁だって、八重ちゃんのこと喜んでるよ」

「あら、うちのお母さんだって、恭一さんのような人と結婚したら、一生安心だって、とても喜んでるわ」

ふじ乃が笑って、

「親も喜んで、当人同士も喜んでいるんなら、こんな目出たい話はないわね」

と、ストーブの上のやかんに、銚子を沈めた。文治がストーブの口をあけて、薪を二本入れた。イタヤ楓のよく乾燥した薪だ。志津代が八重の手から、うとうととまどろみ始めた紘治を受け取って、隣の部屋に寝せつけに行った。隣の部屋にも、茶の間よりひとまわり小さい薪ストーブが取りつけてある。ふじ乃の寝室にも同じ小さなストーブがつけてあった。

「飲むじゃなし、打つじゃなし、ストーブぐらい、少しは贅沢しようよ」

と、ふじ乃はこの小さな家に、台所を合わせて四つもストーブをつけていた。たいていの家は、台所と茶の間の二カ所だけだ。

「ところでさ、カネナカのお内儀さんに相談があるんですがね」

恭一が改まった表情になった。

「おや、わたしに相談？　わたしはね、相談されれば、すぐに喜んでひと肌脱ぐ気になるから困るって、よく番頭の嘉助に言われたっけ」

思わぬところで嘉助の名が出た。嘉助の名が出れば、誰の胸にも三郎の名が浮かぶ。とんでもない借財を押しつけて、行方をくらました三郎は、今頃どこでどんな正月を迎えていることか。だが、誰もその三郎の名を口には出さなかった。

「実はですね、八重ちゃんと一緒になるについて、いろいろ考えたんですが、ぼくたちも旭川《あさひかわ》に出て来ようかと思ったわけです」

一見二十七、八に見える恭一だが、神妙になると、またちがった恭一の一面がのぞいて、何となく手を貸してやりたいような若さを感ずる。

「旭川に？　旭川に出て来て、何をするつもり？」

文治の顔も真剣になった。

「宿屋です」

「宿屋？」

「はい」

宿屋という言葉に、意外なという声音がふじ乃の言葉に出た。

「宿屋ならぼくにも経験がありますし、八重ちゃんも丈夫だから、やれると思うんです。もちろん、おふくろも連れて来ます。八重ちゃんのおふくろも一緒に来るというんです」

「じゃ、あの山形屋さんは?」

「実は、古丹別《こたんべつ》で牧場をしている佐藤さんが、あの宿を買いたいと言ってくれましてね。うちにある少しばかりの貯えと、売却金とで、旭川で小さな宿屋をやろうかと思います。世の中のことは、ぼくらよりカネナカのお内儀さんがよく見ているから、じっくりと相談するようにと、おふくろに言われて来たんです」

志津代は、大きくうなずくふじ乃を見ながら、やはり文治の母のキワは賢い人だと思った。何もふじ乃に相談せずともやれることを、ふじ乃を立てて相談に来させた。いきなり出て来て、旭川で宿屋をすると言ってもよいことだが、事が定まらぬうちに相談されることは、志津代にとってもありがたいことだった。文治の立場としても、こういう相談はうれしいことにちがいない。

「どうでしょう、田舎者が旭川に来て、宿屋をやっていけるでしょうか。むずかしくはないでしょうか」

「やっていけるともさ。それはわたしが太鼓判を押すよ」

ふじ乃は濃紫に、白い小花を刺繍《ししゅう》した半襟に、その美しいあごを埋《うず》めるようにして、

「ね、文治さん、大丈夫やっていけるわね」

と、同意を求めた。

「はあ、ぼくにはよくわかりませんが……」

文治は、実際の話、旭川で、母や兄が宿屋をやっていけるものかどうか、見当がつかなかった。あの小さな苫幌だから成り立っていたような気もする。第一、あの宿をいくらで売る気か知れないが、その金と少しばかりの貯えをはたいて、どんな宿が手に入るというのか。苫幌と旭川の不動産の時価には、かなりの相違がある筈だ。

(もしかしたら、これは金の相談ではないのか)

文治は俄かに不安になった。と、ふじ乃がひと膝進めて、

「ぜひ旭川に出ていらっしゃいよ。手頃な宿が売りに出ているか、どうか知らないけれど、駅からちょっと離れれば、地価もぐっと安くなる。それにさ、キワさんは評判のいい人だろう。苫幌に行く行商人たちの大方は、山形屋に泊っている筈だよ。キワさんほど、心をこめた宿は、旭川にだってそうそうありはしないよ。お馴染みの客たちは、旭川ではキワさんの宿に泊るよ」

言われて文治はほっとした。確かにふじ乃の言うとおり、山形屋の馴染み客は、旭川でも

客になってくれそうな気がした。旭川には旭川の馴染みの宿はあろうけれど、客のキワに対する並々ならぬ信頼は、息子の文治にも確かな手応えとして感ずることが出来る。その一つの証拠として、こんなことがあった。時計の行商人が、秋の終りに苫幌に来て風邪をひいた時のことである。高熱が出、咳の出る苦しい風邪だった。キワは熱い湿布を胸に巻いたり、吸入器をかけてやったりして、実にこまめに看病をした。その風邪が治った時、時計屋は言った。

「旅をしていて、こんなに親切にしてもらったことは初めてだ。病気になどなろうものなら、やれ、汗で布団が湿っけるの、寝巻の取り換えが要るのと、厄介な顔をされるものだが、病気をするんなら山形屋さんに限るよ」

そう言った時、他の相客たちも「そうだ」「そうだ」と、力をこめて同調したものだった。

恭一はふじ乃の言葉に、丁寧に礼を言った。

「今のお内儀さんの言葉、おふくろにまちがいなく伝えます。きっとおふくろも、自信を持つにちがいありません。それじゃ、なるべく今年の秋には、旭川に出て来たいと思います。その時はおせわになります。志津代ちゃんもよろしく頼むな」

「はい」

志津代はにっこり笑った。文治は、

「兄さん、こちらこそ、よろしく頼むよ。おふくろや兄さんたちが旭川に来たら、俺も心強くなる。お母さん、今後共よろしくお願いします」

文治もふじ乃に向かって両手をついた。

「正月から、何と目出たい話だね。恭一さんが結婚するだの、旭川で宿屋を開くだの、何だか楽しくなって来たじゃないか。来年は恭一さんのところでも赤ん坊が生まれる。二、三年したら、またここでも生まれる。二軒で五人ずつ生んでも、十人じゃないか。志津代、淋しがってる暇なんかありやしないよ」

「ほんとうね。でも、八重ちゃんが、わたしのお嫂《ねえ》さんになるなんて、夢みたいだわ」

「あら、ほんとだ。わたしより志津代ちゃんのほうがしっかりしているもの。わたしのほうが妹のつもりでいた。いやだわ、わたしったら」

驚いたような八重の言い方に、またみんなが笑った。笑いながら、志津代が立ち上がった。紘治の寝ている部屋に、薪をくべるためだった。

志津代は、茶の間の襖をあけて、自分の部屋に入った。途端に、はっと息をのんだ。先ほど小布団の上に寝かせた紘治の顔に、タオルがかぶせられていたのだ。あわてて志津代はタオルを取り除けた。幸い、隙間があったためか、紘治は顔をやや横に向けて寝入っていた。顔色にも変わりはなかった。が、志津代は言いようもない恐怖に、体が震えた。

明らかに新太郎の仕業であった。あの時、表に出て行った新太郎は、多分途中で帰って来たにちがいない。そして、玄関脇のこの部屋に入り、紘治の顔にタオルをかぶせて、また出て行ったにちがいない。

(もし、このタオルが、鼻も口もふさいでいたとしたら……)

一瞬の間に幼い命は奪われたのではないか。新太郎がこんないたずらをしたとも知らずに、大人たちは茶の間で、話に夢中になっていた。

志津代はすぐにふじ乃を呼ぼうかと思った。が、なぜかそれはためらわれた。紘治が生まれる以前なら、このためらいはなかったかも知れない。が、自分が母親となって、親の子に対する気持がよくわかるのだ。自分を悪く言われるよりも、子供を悪く言われるほうが、どれほど辛いかわからないのだ。と言って、このいたずらを見逃しにしておくわけにはいかない。志津代は、いきなり暗い穴に投げこまれたような気がした。恭一とふじ乃の笑う声が賑やかに聞こえる。恭一が帰ってからでもいい。誰もいないところで、新太郎のしたことを告げねばならない。そう思った志津代の耳に、先ほどの新太郎の言葉が、新たな意味を持ってひびいてきた。

「紘治なんかめんこくない。紘治なんかがんばれない」

あれは憎しみに燃えた声だったのだ。

三

湿った雪がぼとぼと降っていて、今日は朝から暖かい。台所で髪を洗っていたふじ乃が、茶の間に入って来て障子を閉めながら言った。

「志津代、今年は何かいいことがありそうだね」

真っ黒い髪が濡れて、一層黒々と光っている。洗い髪を両肩にゆったりとかけたふじ乃の姿は、娘の志津代から見ても美しかった。赤く燃えているストーブの傍に坐って、ふじ乃は髪を乾かしながら、

「ね、志津代はそうは思わないかい。恭一さんと八重ちゃんが結婚するだの、旭川《あさひかわ》で宿を開くだのと、正月早々いい話を持って来たじゃないか」

恭一と八重は、一晩泊まって、昨日の午後帰って行った。

「そうね、いいことがあるかも知れないわね」

相槌を打ちながら、志津代の心は重かった。紘治の顔にタオルをかけた新太郎の仕業を、一昨日から志津代は暗い気持で、幾度も幾度も思い返してきた。只のいたずらと考えたいのだが、あれっきりで紘治に対するいたずらが止まるとは思えない。小さい時から、欲し

いものは何でも手に入った新太郎だ。こらえるということを知らない。苫幌《とまほろ》から旭川に移っても、新太郎は時折、「自転車が欲しい」だの「自動車が欲しい」だのと言い出して、ふじ乃を困らせた。

苫幌では明治三十何年かに、初めて自転車が入って来た。確かアメリカ製で、中古で百六十円もしたと聞いた。それでも新品の半額ということだった。自転車が道を行くと、子供たちは後を追っかけて走ったものだ。が、一旦故障すると、わざわざ小樽《おたる》まで船で修理に出さねばならない。修理には半月から一ヵ月もかかって、その修理代がまた馬鹿高いということだった。それでも、今では国産の自転車が苫幌でさえ何台か入っているわけだから、旭川では目につくことが多かった。が、国産とは言っても、まだ五十円から百五十円もする。子供などに買い与える者は誰もいない。子供もまた大人の乗り物と思っていて、ねだる者などいるわけもない。だが新太郎は、欲しいとなれば朝から晩まで、「自転車自転車」と口に出す。その上自動車までねだるのだから、さすがのふじ乃も相手にはしない。

「自動車や自転車はね、店には売っていないの。あれは、立派な仕事をする大人に、お役人がごほうびにくれるものだよ」

などと、適当なことを言ってごまかしたりする。とにかく、そんな新太郎を見ていると、将来どんな人間になるのかと、生真面目な志津代は、不意に不安になることがある。何しろ、言い出したらちょっとやそっとで諦めない新太郎だ。タオルを紘治の顔にかけた行為に、もし底意があるとすれば、執念深く二度三度と、同じことをされそうで、志津代は打ち捨てておけないような怯《おび》えを感じた。

「しかし、志津代、人と人の縁って、不思議なもんだねえ。お前のお父っつぁんと、文治さんのお父っつぁんとは、最初はそりゃあ仲がよかったもんだよ。それが死ぬ近くになって、どんなわけでそうなったかわからないけど、ぱったり行き来をしなくなってね。……まさか、お前と文治さんが夫婦になるなんて、長吉さんだって思ってもみなかったんじゃないのかね」

いつもよりふじ乃は機嫌がよかった。髪を洗った解放感からか、ほかに、何か機嫌のよくなる理由があってか、ふじ乃の声に張りがあった。志津代はあのタオルの一件を言い出すべきか、どうかと、炉箒を取って、ゴミ一つないストーブ台を意味もなく掃いてみたりした。

「豆餅を焼いてくれないかい」

やがて、髪が乾いたのを確かめてから、柱時計を見、ふじ乃が言った。十二時を過ぎている。

「あ、もうこんな時間なのね。わたしも豆餅を食べようかしら」

「草餅も焼いてもらおうかね。あべかわにして食べてみたいよ」

あべかわ餅は新太郎も好きだ。どうせ今に外から帰って来て、

「きなこもちちょうだい」

と、言うにちがいないのだ。志津代はタオル事件を告げる勇気を失った。薪のストーブの上に網わたしを置き、餅を焼く志津代にふじ乃が言う。

「あの八重ちゃんっていう娘、無邪気でいいね。だけど、山形屋のおっかさんも、八重ちゃんも、旭川に出て来るっていうのは、ちょっと大変だね」

「そうね」

志津代には、そんな話は今はどうでもいいのだ。が、

「どちらの母さんもいい人たちだから……」

と、無難な言葉を言ってみる。

「人はね、ちょっと離れていれば、みんないい人さ。だけど、一つ屋根の下に住むとなるとね、これはいい人も悪くなる。むずかしいもんだよ、志津代」

「本当ね、そうかも知れないわね」

志津代はうなずきながら、自分が今、その悪い人間になっているような気がした。今日ふじ乃が、妙に機嫌のよいことにさえ、志津代は勘ぐっている。昨年の十一月も末になって、同じ町内の醤油《しょうゆ》醸造店に息子が帰って来た。旭川一の醤油醸造店だというその店は、少し

離れたところにあったが、邸宅は同じ町内にあって、創業主夫婦が二、三人の使用人と共に住んでいた。息子は文学好きで、東京に行っていると、人の噂で聞いていた。その息子が三歳年上の妻と、二人の中に出来た子供と、三人で旭川に帰って来たのである。創業主である父親が、体調を崩したとかで、番頭が二度も三度も説得に東京まで出かけて、ようやく連れ帰ったという、いわくつきの息子であった。話の様子では、どんなに気むずかしい息子かと思っていたが、気さくに近所に挨拶にまわった。その息子はふじ乃たちの家にも来た。

「なんだ、おもしろそうな人じゃないの」

と、ふじ乃が言ったほど、明るい感じの男だった。もっとも、ふじ乃がそう言った言葉の陰にはこんなことがあった。

訪《おと》なう声にふじ乃が出ると、

「これはこれは若奥さん、大奥さんはご在宅で?」

と、その息子は言ったのだ。ふじ乃をそれと知ると、

「こりゃあお若い」

と驚いて、自分の思いちがいを大きな声で笑って帰って行った。

「若奥さんだとさ」

幾度かふじ乃はそう言って、思い出しては笑っていた。

「今度は旭川に落ちついて、家業にいそしみます」

言った言葉にあやまりはなく、確かに朝から夕刻までは、店の仕事にこまめに立ち働いた。が、夕食が終わると、店の者や近所の者を呼び集めて、マージャンとかいう聞き馴れぬ遊びに人々を巻きこむのだった。その中に、どういう訳か、ふじ乃が時折呼ばれてマージャンを覚えた。何しろ苫幌にいた頃、花札でならしたふじ乃だったから、勝負事にはもともと目がない。その上、三十を過ぎたばかりのその息子が、ひどくふじ乃を気に入ったらしく、ふじ乃が出かけない時には自分から呼びに来るという熱心さだった。それでも、文治や志津代の手前、ふじ乃はつとめて断ってはいたが、誘われれば三度に一度は、いそいそと出かけて行く。志津代はそんなふじ乃を、心の底でうとましく思い始めてもいた。それが新太郎への思いに重なって、志津代の気持ちはいよいよ沈み勝ちになる。今日、ふじ乃が機嫌がいいのは、もしかしたら今夜あたり、既に出かける約束が出来ているためかも知れない。

そう思うと、

(髪まで洗って！)

と、舌打ちしたい思いが頭をもたげて来る。そして、そんな自分を志津代はいやだと思った。

時計を見い見い餅を食べていたふじ乃は、表通りの髪結に、角巻を頭からすっぽりかぶって出て行った。入れ替わりに新太郎が帰って来た。雪だらけになった新太郎の着物の裾を、箒でていねいに払ってやってから、

「あべかわを食べるわね」

と、志津代は言ったが、新太郎は、

「いや、ごはんを食べる」

と言い、

「おっかさんは?」

と、ふじ乃の部屋をあけて見た。

「髪結さんよ」

志津代は、つとめて優しい声音で言った。うっかり口をきくと、冷たい語調になりそうで、そんな自分が恐ろしかった。

「ふーん」

髪結と聞いては、新太郎も納得した顔になる。苫幌にいた頃は髪結は家に呼ぶものと決めていたふじ乃が、旭川に来てからは、退屈しのぎに自分から出かけて行くようになった。髪を結う時も、解きつけの時も、ふじ乃は気軽に出かけて行く。髪結の師匠が、はきはき

とした働き者で腕もよかったから、ふじ乃は気に入っているようだった。髪結の家で幾人かの女たちと知り合い、下駄屋のお内儀がどうの、酒屋のお内儀がどうのと、けっこうふじ乃の顔が広くなっていった。志津代も髪結には出かけるが、なるべく客のすいた時間に出かけるので、ふじ乃ほどに、どこの男が浮気をしたの、どこの嫁と姑が折り合いが悪いだのまでは、聞いてはこない。どこにあっても、ふじ乃は志津代より明るく派手で賑やかだった。

台所に立って、新太郎の昼食の用意を始めた。と紘治の妙な泣き声がした。はっとして茶の間に入ると、いつこ（赤子を入れておく籠）に入れていた紘治の顔に、毛糸のショールがかぶせてあった。

「何をするの！」

駆け寄ってショールを取り払うや否や、志津代は新太郎の頬を強く打った。今まで志津代に殴られたことなど一度もない。新太郎は、上目づかいに志津代を睨《にら》んだ。

「新太郎！　紘治の顔にタオルやショールをかけたら、紘治は死ぬのよ！」

声がふるえた。一瞬、新太郎は口を尖《とが》らせたが、

「死んだほうがいい」

と、不貞腐《ふてくさ》れて言った。

「死んだほうがいい？　どうしてなの!?　どうして紘治が死んだほうがいいの？」

　冷静になろうと思いながらも、志津代はふるえがとまらなかった。

「だって、きらいだもん」

「嫌い？」

「うん、きらい。おねえちゃんのおっぱいのんで、きらいだ」

　恭一と八重が来た時、新太郎は、

「紘治なんてめんこくない。紘治なんて、がんばれないぞ」

と、家を飛び出して行った。みんなが紘治を抱いたり、のぞきこんだりして、八重が「紘治ちゃん、がんばって」と言った時だった。

「悪かったなあ。紘治のことばっかり言って」

　恭一が頭を掻《か》くと、

「なあに、かまわないわよ。新太郎は長いこと、末っ子でみんなにちやほやされてきたんだから。志津代とは齢も離れているから、末っ子というより、一人っ子みたいなもんよ。だから妬《や》いてるの。やっかみなの」

　ふじ乃はそう言って笑った。今、新太郎は、「お姉ちゃんのおっぱいをのんで」と言った。新太郎は思いもかけず、自分の姉を紘治に取られたと、恨《うら》んでいるのだ。今まで志津代が優しくしてやった分が、恨みとなってかえってきているのだ。

「新太郎、おいで」

志津代は少し優しい思いになった。

「いや！」

「どうして？」

「だって、たたいたもん」

「ごめんよ。もう叩かないから、ここにおいで」

志津代は自分の膝を指さした。

「うん」

新太郎は素直に膝に乗った。志津代は、そのどっしりとした重みに、自分がしばらくの間、新太郎を抱いたことがなかったことに気がついた。

「新太郎、あのね、お姉ちゃんは新太郎のお姉ちゃんなのよ」

そっと新太郎の手を握った。

「うん」

たよりのない返事が返ってきた。

「あのね、お姉ちゃんも、新太郎も、おっかさんのおなかの中から、生まれて来たんだよ。

だから二人は、きょうだいなの」

「ふーん、ぼく、おねえちゃんから、うまれたんでないの？」

「おっかさんから生まれたのよ」

「ふーん」

　新太郎の心の中で、ふじ乃と志津代が一つになったり、二つになったりしていたらしいことを、志津代は知った。店の忙しかったふじ乃に替わって、志津代が新太郎の世話をすることが多かった。新太郎の中に、普通の姉弟とはちがった、もっと濃厚な、思慕の情が志津代に対して育っていたのだった。

「新太郎、あんたの母さんはおっかさん、紘ちゃんの母さんはお姉ちゃん。わかった？」

　志津代は新太郎の肩を抱いた。

「うん」

「あんたはね、紘ちゃんの叔父さんなのよ」

「へー、おじさん？　ぼく、子どもなのに、おじさん？」

　驚いて新太郎は、くるりと首を志津代に向けた。

「そう。叔父さんは紘ちゃんをかわいがらなくちゃならないの。わかった？」

「わかった、わかった。ぼく、おなかすいた」

新太郎は志津代の膝から降りた。「わかった、わかった」と言われて、志津代は心もとないような気がした。

「そしてね。新太郎はお姉ちゃんの弟なんだから、お姉ちゃんとうんと仲よくするのよ」

志津代は、卓袱台《ちゃぶだい》の上を拭きながら、念を押した。

「わかった、わかった」

「ほんとうにわかった？　新太郎は大きくなってお姉ちゃんを助けてくれるのよ。紘治をうんとかわいがるのよ」

「わかったってば。ごはん、ごはん」

新太郎は卓袱台を拳骨《げんこつ》で叩いた。紘治がにこにこ笑って、小さな手を動かしていた。

四

ふじ乃が髪結から帰って来たのは、二時間ほど経《た》ってからだった。まだ角巻も脱がないふじ乃に、まつわりついて新太郎が言った。

「おっかさん、おねえちゃんがぼくばたたいた」

叩いたと言う時、新太郎の声が泣いていた。志津代は驚いた。わかった、わかった、と連発したあの言葉は、一体何だったのかと、情けない気がした。

「お姉ちゃんが殴った？ ほんとかい、志津代？」

ふじ乃の声が少し尖《とが》った。殴ったのは本当だった。だが、新太郎が、泣き声になって訴えねばならぬことではない筈だと、志津代は新太郎の気持がわからなかった。

「ちょっと頬っぺたを……」

言いかけると、

「ちょっと頬っぺたを？ 志津代、ちょっとここに坐りなさい」

紺色の鮮やかな角巻をストーブの傍に置きながら、ふじ乃は改まった声になった。

「…………」

志津代は言われるままに、たすきを外してふじ乃の傍に坐った。その二人を新太郎は黙って見つめていた。子供らしくない目であった。

「新太郎、お姉ちゃんはどうしてお前を叩いたんだい」

「しらん。しらんもん」

「知らん？　お前が何かしたから叩いたんだろう」

「なんにもしないのにたたいたんだもん」

「何もしないのに叩いた？」

「うん」

「ほんとうかい、志津代」

二時間前に出て行く時とは打って変わって、ふじ乃は機嫌が悪かった。

「ちがうわ。何もしないのに叩くわけがないじゃないの」

今言うことがよいか悪いか、わからないと思いながらも、志津代も硬い表情を見せてそう言った。姉の自分が手を上げたのだ。他人が殴ったのとわけがちがう。それをふじ乃は、新太郎の言葉を真に受けて、今自分を尋問しようとしている。いつもの母らしくないと、志津代も依怙地《いこじ》になった。

「何で殴ったんだい、志津代」

「おっかさん、新太郎はね、わたしのショールを紘治の顔にかけたのよ」

「それがどうしたのさ」

「それがどうしたのさって、紘治はまだ赤ん坊よ。窒息でもしたら、どうなると思うの」

「窒息？　窒息なんて、そんなこと滅多にありやしないよ。それとも何かい、お前、新太郎が悪い気でそんなことでもしたって言うのかい」

「………」

「悪い気でしたって言うんだね」

志津代は顔を上げて、

「おっかさん、悪い気かどうかわからないけど、八重ちゃんが来た日、新太郎はタオルを紘治の顔にかけたのよ。わたし黙ってたけど、ぞっとしたわ。でも、只のいたずらだろうと思って、何も言わなかったのよ。そしたら今日、ショールをかけたじゃないの。驚いてわたし殴ったわ」

言いながら次第に志津代は腹が立っていった。殴ったとはいえ、新太郎を膝に抱いて、優しく言って聞かせたつもりだった。が、何もわかってはいなかったのだ。新太郎が覚えていたことは自分が殴られたことだけだった。七歳にもなって、赤ん坊の顔にタオルをかけたことも、ショールをかけたことも、忘れているとは何という子供だろう。志津代は、新太郎が自分と血を分けた本当のきょうだいであろうかと、心が冷えていくのを感じた。

ふじ乃は新太郎を外へ遊びに追いやってから言った。

「ふーん。じゃ、何かい、志津代は新太郎は紘治を殺そうと思ったとでも言いたいのかい」

「そんなことは思わないわ。思わないけど……」

今のこの自分の言葉は、嘘だと志津代は思った。新太郎は紘治を殺しかねないと、志津代は心の中で怯えているのだ。志津代は言葉をついで、

「そんなことは思いはしないけど、タオルをかけたり、ショールをかけたりのいたずらが度重なったら、紘治死ぬかも知れないわ」

「それで、お前殴ったのかい」

「そうよ。それで殴ったのよ」

「志津代、新太郎は子供だよ。まだ学校へ行く前の子供だよ。人を殺すなんて考えるわけがないだろ。何も殴らなくたって、言って聞かせりゃ、わかることじゃないか」

「でもね、おっかさん、そんなことしたら死ぬのよって言ったら、紘治なんて死んだほうがいいって、新太郎はそう言ったのよ」

「馬鹿だね、お前は。子供の言葉じゃないか。何も本気にすることはないよ」

そのとおりかも知れない。ちらりと志津代はそう思った。が、新太郎は思ったより性悪

なのではないかという思いを、打ち消すことは出来なかった。

「とにかくね、手を上げることだけはやめておくれ。親のわたしでさえ、一度も殴ったことはないいんだからね。何かあったら、わたしに言ってくれていいんだよ」

「おっかさん！」

ふじ乃の冷たい語調に、志津代は思わず声を上げた。

「おっかさん、わたしは新太郎の姉ですよ。赤の他人が殴った訳じゃなし、何もそんなに冷たい言い方をしなくてもいいじゃないの」

ふじ乃は今結ってきたばかりの髷《まげ》の根を、かんざしで乱暴に掻きながら言った。

「ああそうかい。お前と新太郎はきょうだいだったよ。忘れていたよ、わたしは」

ふじ乃は声に出して笑ってから、

「志津代、お前本当に、新太郎を自分の弟だと思って、かわいがっているのかい」

「あら、いやなことを言うわね。わたしがいつ、新太郎をかわいがらなかったことがあって？」

「かわいがっているんならいいよ。わたしはまた、志津代が心の中で、新太郎をどう思っているのかと……殴ったなんて聞くと、そう思ったのさ」

「どう思っているって？」

「そうだろう。お前、本当は腹ん中で、新太郎とは父親がちがうと、いつもそう思ってきたんじゃないのかい」

「まあいやだ！　そんなことなど、思ったことないわ」

答えながら、そう言われれば増野録郎のことを、一度も思い出さなかったと言えば嘘になると、志津代は思った。心の底で、増野のことを思い出すまいと、いつも自分に言い聞かせて来たような気がする。十一歳の時、夜中に小用に起きて、厠の窓から見た男のうしろ姿を、ふっと思い出すことが、どんなに多かったことか。「そんなこと思ったことはないわ」と言った自分の言葉が、本当のつもりで生きて来たのに、不意に今、白じらしい嘘を言っているようなそんな気持ちになった。

「おっかさんはね、学問も何もない女だよ。だけど、人が腹ん中で何を考えてるかぐらい、わからないほど馬鹿じゃないの。お前は確かに、わたしの娘としては出来た娘だよ。頭はよし、器量はよし、人には親切で、新太郎の面倒も見てくれる。わたしにもよく尽くしてくれるし、言うことはない娘さ。だがね、志津代、お前自身も、自分は何も欠点のない者だと思ってやしないかい」

ふじ乃の顔が別人のように見えた。

「そんなこと、どうしてわたしが思うのよ」

「そうかね。少なくとも志津代は、自分とおっかさんとはちがう、と思ってはいやしないかい」

「それ、どういうこと？」

　問い返しながら、志津代は心の中で、あっと声を上げていた。母の美しさ、陽気さが志津代は好きだった。だがどこかで、母と自分はちがうという思いを、しっかりと抱いてきた。母は父を裏切って、増野録郎の子を生んだ。が、自分は生涯夫を裏切るような女にはなるまいと思って生きて来た。それは決して意識的ではなかったが、心の底では、母のようには生きたくはないと思っていたことは確かだった。今、ふじ乃にそれを衝《つ》かれて、志津代はうろたえた。からりとして、腹の中には何もないように見えるふじ乃の腹の底に、そんな思いがひそんでいようとは、夢にも知らぬことだった。

「それ、どういうことって、志津代は言ったけど、ほんとに志津代にはわからないことかい」

「……………」

「わたしはね、お前が娘でありながら、時々他人よりも冷たい人間に見えることがあるんだよ。お前の目は、いつもわたしを上から見ているような、そんな気がする。志津代はいつも、はらはらしてわたしを見てるだろ。このおっかさん、いつまた何を仕出かすやら、そういつも思ってるんじゃないのかい。わたしはお前に監視されているような気持だよ。いつもいつもね」

　志津代は何か答えようとして、しかし黙った。自分では仲のいい親子だと思っていた。

何でも話し合える親子だと思っていた。だが、そうではなかったのだ。確かに心のどこかに、自分は親孝行な娘だという思いが隠れていたような気がする。苫幌にいた頃から、花札遊びをするふじ乃に、批判的な目を向けていた。増野録郎が旭川に訪ねて来た時も、ふじ乃と増野が二人っきりにならないようにと心を遣い、自分が傍にいても、目と目で何か話をしはしないかと、知らず知らずの中に、監視人のようなまなざしになっていたと思う。そしてまたこの頃は、マージャンに出かけて行くふじ乃を、心からの笑顔で送る気にはなってはいなかった。志津代は文治と、

「おっかさん、今日もまたマージャンなのよ。困ったわねえ」とか、

「マージャンだけでおさまればいいけど」

などと、ふじ乃が聞いたら怒るにちがいない言葉を交わしていたのだ。志津代は、何も問題のない家庭だと思っていたわが家に、意外な一面のあることを、今初めて知らされた思いだった。

「志津代、お前はどう思っているかわからないけど、おっかさんはお前たち夫婦に、遠慮しいしい生きているんだよ」

何を言われても仕方のない心地だった。

「それなのに、お前は新太郎を殴ったという。親のわたしが殴ったことのない新太郎を殴っ

たという。おっかさんは何だか情けなくなってしまった。志津代が殴りたいのは、このおっかさんじゃないのかと、ひがみたくなってしまった」

志津代は、ふじ乃に言うべき言葉を、心忙《せわ》しく探していた。が、何を言っても仕方のない気もしていた。と言って、何か言わねばふじ乃はとめどなく言い募るような気がした。

「おっかさんを殴りたいなんて、わたし、一度だって思ったことないわ。そりゃあね、お父っつぁんの死んだ頃は、おっかさんを恨んだことはあるわ。でも、そんなこといつまでも考えていたわけじゃないわ。わたしだって、いつまでも子供じゃないのよ。赤ん坊を生んだんだもの」

「そうかねえ。だけど志津代、おっかさんが遠慮して生きていることには、気づかないだろう。おっかさんはさ、ほかの男の子供を生んだし、それを気にしてお父っつぁんは死んだし、どう考えたって、自分は地獄行きだってことぐらい、おっかさんは知ってるよ」

「…………」

「だけど、人間一度あやまちを犯すと、人は許してくれないもんだね。お前はいつもわたしをそんな目で見ているよ。これはわたしのひがみかね」

「ひがみよ」

切り返すように志津代は言った。強く切り返さねばならないものを、自分の中に感じたからだ。

「そうかい、ひがみかい」

「当り前よ。おっかさんはわたしにとって、かけがえのない母親じゃないの。わたし、おっかさんを信じてるわ。新太郎は父親も母親も一緒のきょうだいと思ってるわ。何よ変なことばかり言って」

ふじ乃は片頬に笑みを浮かべ、

「嘘でもいい、そう言ってもらうとありがたいもんだねえ」

と、声を出して笑った。その笑い声を聞くと、志津代は両肩にずしりと重荷を負わされたような気がした。

「とにかくね、おっかさん。新太郎を一度叱っておいてちょうだい。わたし新太郎に言ったのよ。お前は紘治の叔父さんだから、かわいがってあげてねって。そしたら新太郎は、わかったわかったって気軽く言っていたのよ。それなのにおっかさんが帰って来たら、泣き声を出して、お姉ちゃんが叩いたなんて言ったりして……ほんとに叱っておいてね」

志津代はわざとさばさばと言った。ふじ乃はその顔を黙って見ていたが、

「ああ、叱っておくよ。この上、新太郎に人殺しをされちゃあ、浮かぶ瀬がありゃしないものね」

ふだんのふじ乃の語調に戻っていた。

「ね、志津代。今、髪結に行ったらさ。醬油屋《しょうゆや》の若奥さんが、書き置きして家を出たんだってさ」

と、眉をひそめて見せた。

「まあ！　じゃ若旦那、心配してるでしょう」

「心配してるか、どうかわからないけど、番頭さんが東京に追っかけて行ったという話だよ」

「あら、どうして若旦那が行かなかったのかしら」

「そんなこと、おっかさんにはわかんないけどね。髪結の師匠が、おっかさんにとんでもないことを言ったんだよ」

「まあ！　どんなこと？」

「ほんとはこんなこと、お前の耳に入れたくないんだけど、どうせ誰かが耳に入れるにちがいないからね。いやでも言うより仕方がない。師匠がね、あんたと若旦那の仲をとやかく言う人がいるから、用心しなさいってさ。冗談じゃないよ、全く」

ふじ乃はストーブの口をあけて、薪を入れた。小さな火の粉が、幾つか光ってとんだ。

八一《やいち》旅館

八一旅館

一

文治はセルの袴の股立《ももだ》ちを取るような形で、炎天の下を歩いていた。袴のまつわるのが暑いのだ。向うから扇子を忙しく動かしながら、片手に背広を抱えた五十過ぎの男がやって来た。

「やあ」

男が扇子を上げた。A新聞社の記者だった。

「やあ、暑いですね」

文治は額《ひたい》の汗を腰の手拭いを取って拭った。

「サツからの帰りかね」

「はあ」

「その顔じゃ、事件はなかったね」

「はあ、何もありません」

文治は生真面目に答えた。

「この暑さじゃ、誰も悪いことをする気にもならんよ」

男は豪放に笑って、また忙しく扇子を動かしながら、細い路地に入って行った。

文治は毎日、役場と警察に顔を出す。近頃は、その帰りに母のキワの所に顔を出すことにしている。

三月の末に、恭一と八重は結婚した。三月の末と言っても、まだ雪の融《と》けぬ苫幌《とまほろ》に、文治とふじ乃が婚礼に出席した。八重は、苫幌では珍しい角隠しをつけた花嫁だった。ふっう苫幌の娘たちは、髪を島田に結い、新しい銘仙の着物を着て嫁ぐのだった。八重は白い角隠しをし、打掛を着たが、ともすれば笑みがこぼれて、

「おしろいが剥げるぞ」

と、口の悪い仲人に笑われた。仲人を引き受けてくれたのは畳屋の主人だった。文治はその八重を見つめながら、愛らしいと思った。八重は昔からよく笑う娘だった。格別の深みはないが、人の心をほっとさせるものがあった。八重と並んで、神妙にかしこまっている恭一を見て、

(兄貴はいい結婚をしたな)

と、文治は思った。取り立てて自分が悪い結婚をしたと思ったわけではない。志津代は、文治が幼い時から憧れていた娘であった。美しい上に優しかった。が、八重のように野放

図に笑いこけるとか、人に安堵を与えるような柔らかさは、志津代にはなかった。二人で話し合っていると、つい人生について考えてしまうような方向に話が行った。そんな話し合いは文治も好きだったから、志津代はよい妻と言えた。だが、花嫁姿の八重が洩らす笑みは、思わず人の微笑を誘った。こんな娘は男を伸び伸びとさせて、新しい力を与えるのではないかと、文治は思うのだった。かつて八重は文治を慕っていた。が、文治は、八重には妹に対するような愛情しか抱けなかった。その八重が、今、不意に、

(惜しい)

と、文治に思わせたのだ。むろんそれは、結婚する女性に対して、多くの男が抱く、ごくありきたりの感情に過ぎなかったかも知れない。だが、真面目な文治は、そんな自分に驚いた。いかにかすかな感情であろうと、今、恭一の妻になろうとしている八重に、自分は不届きな思いを持ったと、自分を許せぬ気持が起きたのだった。

結婚した恭一と八重は、ようやく雪の融けた四月の半ばに、旭川《あさひかわ》に移って来た。共に出て来る筈の八重の母は苫幌に残り、恭一夫婦と旭川に来たのは、キワだけだった。八重の母は、夫の最期の土地苫幌を去るに忍びないと言って、俄かに出旭を取り止めにした。もっともな理由なので、強いて出旭を勧めるわけにはいかなかったが、誰もが、それが本当の理由かどうかを疑っていた。結局は姑であるキワへの遠慮であろうと、言わず語らずのうう

ちに諒解《りょうかい》したと言ってよい。

「旭川に行ったら、必ずあんたがたの宿に泊まるからね」

苫幌の人々は、そう言って三人の旅立ちを祝った。七師団のある旭川には、入隊に、面会に、必ず村から何人かの者が毎年旭川に出ていた。病院に診察を受けに、旭川まで出る者も時にいた。山形屋の屋号は、旭川にも同じ屋号があったので、「八一《やいち》旅館」とした。八重の「八」と恭一の「一」を合わせたのである。考えたのはキワだった。キワは、若い二人の名を取ることによって、宿の主権を全て譲り渡そうとしたのである。この屋号を聞いたふじ乃が、

「八一旅館？　何だか妙な屋号だね。九九、八十一みたいじゃないか」

と、遠慮なく笑ったが、

「なるほど、九九、八十一か。苦が重なっても、八十一もの実を結ぶ。まあこれは苦労が報われるいい屋号かも知れないね」

とも、ふじ乃は言った。志津代も、

「八は末広がり、一は一流。末広がりの一流よ。縁起がいいわ」

と、母の不遠慮を詫びるように言ったのだった。文治は、若夫婦の名を、それぞれ一字ずつ取ったこともよいし、聞いてすぐには何のことかわからぬながら、抽象的なところがいいと思った。とにかくこうして旭川に「八一旅館」が誕生したのである。

八一旅館は、駅から歩いて三分ほどの位置にあった。師団をちょっと折れた仲通りに面していて、客室は十ほどの小さな旅館だったが、小ぎれいな旅館だった。値段も手頃で、とんとん拍子に開いた宿は、ひと月もしないうちに連日満館となり、恭一もキワも、人知れず抱いていた不安が一掃された。八重の笑顔が愛らしく、町内の者にも、八一旅館の三人は親しまれて、

「旭川に来てよかったなあ」

「よかったわね」

という毎日だった。

宿は昼の十二時頃から二時頃までの間が、手すきになる。それを知っていて、文治は一時頃に顔を出す。役所や警察の近くにあって、一休みするには手頃な場所にあった。キワや恭一はむろんのこと、八重も、毎日顔を出す文治を、大喜びで迎えてくれる。一日でも顔を出さない時は、

「文治さん、昨日どうしたの。西瓜《すいか》を冷やしておいたのにさ」

などと言ってくれる。

今までは、文治は昼飯をわが家に食べに帰ることが時々あった。文治の家は、警察や役所のある中心部から十丁ほどの所にあって、さして苦になるほどの距離ではなかった。だ

から今も、自分の家に帰って休んでもよいのだが、昼食はそば屋に行ってそばをとり、そのあとで八一旅館に足を向ける。文治にはわが家ほどよいところはなかったのだが、近頃は母の傍らに寝ころんでいるほうが気楽であった。

よくはわからないが、文治には、自分の家がうっとうしいところとなった。いや、うっとうしいと言い切ってしまうには、少し早計だと自分でも思うのだが、そんな空気が文治の家に確かに漂っていた。注意してみなければ気づかぬほどのものかも知れないが、どうも志津代とふじ乃の間が、以前ほどしっくりしていないような気がする。それはどうやら同じ町内に住む醬油《しょうゆ》醸造屋の若主人に起因しているらしい。

「おっかさんったら、今日もマージャンよ」

志津代がよく眉をひそめるようになった。今年の正月、醬油醸造屋の嫁が、東京の家に帰ってしまった。口さがない者たちは、家出の原因は、ふじ乃と若主人の仲にあると、無責任な噂を流した。が、ふじ乃は、一カ月そこその間に、人にとやかく言われるような仲になるわけはないと突っぱねた。ふじ乃は意地になって、人の風評に抗《あらが》うように、マージャンにのめりこんで行った。間もなく醬油屋の妻は、迎えに行った番頭と共に帰って来た。何のことはない、東京生まれの東京育ちの妻が、生まれて初めて旭川の冬を迎え、その寒さと、幾日経っても消えぬ雪の深さに驚いての家出だったと知って、ふじ乃と若旦那の間を言い立てた者は、あわてて口を閉じた。

が、しかし、それで事はおさまらなかった。寒中の、馴れぬ旅行に、妻と共に長途の旅を余儀なくされた赤児が風邪をひき、それが急性肺炎を引き起して、あっという間に短い命を散らしてしまった。となると、北国の者が我慢出来る冬の生活を、我慢が出来ずに東京に逃げ帰った妻を、わがまま者と言い出す者も出て来た。特に親戚の者から口やかましく罵《ののし》られ、彼女は、四月を迎えぬうちに、再び東京に帰ってしまった。

そんなごたごたが繰り返されても、マージャンの会は時々あって、志津代はこぼすのだ。

「マージャンって、一体どんなものなのかしら。おっかさんを見ていると、わたし何だか恐ろしくなるわ」

文治もまた、度々夜家をあけるふじ乃に、何か魔性の世界に魅入られた者を見るような無気味さを感ぜずにはいられなかった。

「ほんとにマージャンだけなんでしょうね」

昨夜も、十二時近くになっても帰らぬふじ乃に、志津代は眉をひそめた。

「マージャンだけに決まってるじゃないか」

志津代が何を言わんとしているか、文治にもわかっている。志津代は度々そんな言い方で、ふじ乃の身を案ずる。マージャンだけに決まっていると口では言ったが、文治もこの頃、心の中に一人隠していることがある。

恭一と八重の結婚式の時、文治はふじ乃と二人で苫幌に出かけた。まだ三月の風は寒い。志津代は紘治がいるので自分は留守番をすると言った。醬油屋の乳呑み児が死んだあとのことだけに、志津代の申し出は尋常に思われた。汽車は行きも帰りも混んでいた。立っている者も何人かいて、文治とふじ乃が並んで腰をかけることが出来たのは、僥倖《ぎょうこう》と言ってもよかった。二人で並んで腰をおろし、しばらくは何のこともなかった。が、文治は、やや経って、ふじ乃の体重が自分に不当に重くかかっているような気がした。ふじ乃は窓側に坐っているのだから、窓に身をもたせるのが自然に思われる。が、ふじ乃は、時には軽く文治の肩に首さえ傾けてのせ、

「汽車の旅もいいわねえ」

と、呟くのだった。人目には、実の母親と息子と見えたか、どうか。どう見ても、自分と十歳とはちがわないように見えるふじ乃の若さと美貌が、文治にはうとましくさえ思われた。別にどうということはない。只それだけのことだったのだが、文治は時折、自分の体にぴたりと寄り添ったふじ乃の体温を、脈絡もなく思い出すことがあった。それは、紘治を抱いている時であったり、志津代を抱いている時であったりした。時には、街を歩いていて、ふっとふじ乃の体温を感ずることもあった。もしかして、こんなふうにこだわっ

ているのは、不純なのではないかと思うことがあったが、どう考えても、あの寄り添い方には、全くの邪心がなかったとは、言い切れないような気がする。母のキワなら、実の息子の肩にさえ、ああはしまいと思う。もっと毅然としていると思う。それが本当の母親だと思うのだ。ましてや、娘婿にああ狎《な》れ狎《な》れしく体を寄せはしない。そう考えてくると、ふじ乃は、自分の娘の婿に対して、一体どんな気持ちでいたのだろうと、邪推したくなる。まさかとは思いながらも、得心がいかない。自分がふっと、ふじ乃のあの体温を思い出すように、ふじ乃もまた自分の体を思い出してはいまいかと、文治はうっとうしい気分におちいるのだった。そんなことが、わが家に向けようとする文治の足を止めさせるのだ。こんなことであってはならない。いつまでも、つまらぬことにこだわってはならない。そうは思うのだが、文治は今日もまたキワや恭一のいる八一旅館に足を向けた。

二

目抜き通りである師団通りを、曲がろうとした時だった。

「おや、あれは新太郎ではないか」

文治は立ちどまった。絣の着物に白い前垂れをつけた男の子が、見知らぬ男と、呉服屋の前で何やら話をしている。そのうしろ姿は新太郎に思われた。夏休みが始まっているから、今の時間、一年生の新太郎がこの辺りに来ていたとて、不思議ではない。文治の家と八一旅館とは、距離にして十丁余りだが、旭川の町は桝の目になっていて、ほとんど迷う心配はない。特に、文治の家から恭一の旅館に来るまでには、家を出て一度ちょっと曲がり、あとは直線道路を西に十丁ほど歩き、そこで左に折れれば、もう目的地の近くに出る。新太郎が一人で来れない道ではない。今までに、志津代やふじ乃に連れられて、七度や八度は遊びに来ている筈だから、一人で来れないわけもない。いや、もしかして、ふじ乃か志津代が新太郎と一緒に八一旅館に来ているのかも知れない。そう考えて、文治はちょっとためらった。自分が八一旅館に毎日顔を出すことを、別段内緒にしているわけではないが、そこで顔を合わせるのは、避けたい気持ちだった。と言って、八一旅館のすぐそばまで来て、歩みを返すのも、奇妙なものだ。新太郎と来たのが志津代かふじ乃かはわからないが、さりげなく顔を出してみようと、文治は新太郎のほうへ歩き出した。と、こちらに背を向けていた新太郎が、見知らぬ男と話をしながら、八一旅館のほうに歩いて行く。

(はてな?)

と、思ってから、文治は、はっとした。もしかしたら、あの男増野録郎ではないかと思ったのだ。が、増野録郎には見覚えがある。苫幌にいた頃、文治の家に泊った客だから、幾度か見ている。だがあれから幾年も経つ。旭川の家に増野が訪ねて来た時は、文治は会ってはいない。人間は幾年かの間に体型が変わることがある。顔の形が変わることもある。そうは思ったが、よく見ると増野とは思えなかった。

文治は、菓子屋で南部煎餅を買い、八一旅館の勝手口から、いつものように黙って入って行った。よく磨きこまれた台所の床板を踏んで、居間との仕切りののれんを払うと、

「文治かい、暑いねえ」

と、キワが使っていた団扇《うちわ》の手をとめた。ふじ乃の姿も、志津代の姿もなかった。不審には思ったが、「志津代は」とも聞きかねて、煎餅の袋をキワの前に置き、

「暑いねえ、全く」

と、袴のひもを早速に解いた。玄関のほうで、八重の笑い声が賑やかに聞こえる。何や

ら新太郎の声もする。

「兄さんは？」

新太郎のことが気になりながら、文治は聞いた。

「布団部屋で、昼寝でもしてるのじゃないのかい」

小さな窓が一つしかない小暗い布団部屋は、この家の中で一番涼しい。

「冷えた麦茶があるよ」

言っているところに、新太郎と八重が小走りに廊下を駆けて居間に来た。

「お母さん、新ちゃんったらね……」

八重が肩をふるわせて笑った。新太郎は文治を見て、さして驚いたふうもなく、

「あんね、お兄ちゃん、ぼく、お客さんをつれてきたんだ」

と威張った。

「えっ？　お客さんを連れて来たって？」

「あら、文治さん、いらっしゃい。あのね、文治さん。新ちゃんったらね、客引きをしたのよ、客引きを」

と、丸い浴衣の肩をふるわせて、八重はなおも笑った。

「客引き？」

「うん、きゃくひき」

新太郎がすまして答えた。キワもさすがに驚いて、

「一体、どうして?」

と問い返した。

八重の話ではこうだった。隣りの角屋旅館の番頭と顔馴染みになった新太郎が、この前遊びに来た時、その番頭に従いて駅前に行った。印半纏《しるしばんてん》を着た他の旅館の番頭が幾人もいて、口々に客引きをするのを新太郎はじっと見つめていたらしい。新太郎は昼前から一人で八一旅館に遊びに来ていたが、つい先ほど、黙って外に出て行った。その辺の犬でもからかいに行ったのだろうと、気にもとめずにいたが、その新太郎がたった今、客を連れて帰って来た。余りの暑さに、風通しのいい玄関先に坐って、八重が涼を取っていると客を連れて新太郎が入って来た。

「おじちゃん、やいちりょかんに、とまらないかい。おやすくしておきますよ」

新太郎はそう言ったという。「小父ちゃん」という呼びかけは確かに子供だが、「お安くしておきますよ」という言葉は、子供の言葉ではない。新太郎が番頭たちの客引きの様子を見ていて覚えた言葉だ。男はおもしろがって、新太郎と共に来るには来たが、旅の者ではなく旭川の住人だった。

「全くおもしろい坊やだ」

男はひと笑いして帰って行った。

「何だか、あの人もこっけいな人。わざわざ新ちゃんに従いて来て」

帰って行った男のことを八重はそう言い、くっくっと、またのどの奥で笑った。が、文治は、なぜか八重のように気軽に笑うことは出来なかった。キワが新太郎の頭をなでて、

「かわいい番頭さんだこと。でもね、これからは、お客さんを連れて来ては駄目よ」

と、優しく言った。

「どうしてさ?」

新太郎は口を尖らせた。

「それはね、旭川に宿屋がたくさんあるでしょう。お客さんを呼ぶには、呼ぶきまりがあるの。きまりは約束だから、守らなければならないの」

「どんなやくそくさ」

新太郎は食い下がる。キワが何か答えようとした時、文治が言った。

「子供は客を呼んではならない、という約束だ」

「ふーん、ほんと?」

「ほんとだ」

文治は断乎《だんこ》として言った。万一、他の旅館に、こんなことが知れては、「あの旅館は子供なんぞを使って、客引きをしている」などと、どんな悪口を言われるかわからない。そう思った時、キワが言った。

「子供は、大人の真似が好きだねえ。じっと大人のすることを見ているから、大人は気をつけなければね。お向いの鍼師《はりし》の子は、マッチの棒で、人形に鍼を打つ真似ばかりするそうだよ」

キワの言葉に、なるほど子供というものはそういうものかと、文治は納得した。鍼師の子が鍼を打つ真似をするのなら、客引きを見た新太郎が客引きの真似をしたからと言って、変に危惧するには当らない。言ってみれば、新太郎のしたことは子供らしいことなのだ。

(どうも新太郎のこととなると、俺も少し神経質になる)

文治は苦笑した。志津代の言葉に影響され過ぎていると思った。確かに、紘治なんぞ死んでもいいと、タオルやショールを顔にかけられたのは無気味だが、底意があってのことではないと、文治は思い直そうと考えた。

「新太郎は一人で遊びに来たの?」

八重が何やら忙しげに立ち去ると、その後を追うように、新太郎も部屋を出て行った。

その足音を聞きながら、文治はキワに尋ねた。

「ああ、新太郎は、今日は一人で来たよ」

キワの言葉が静かなので、文治は安心した。

「そう。八重ちゃんは元気でいいね」

文治の言葉にキワはうなずいて、

「明るい子だよ。だけどねえ……」

と、ちょっと顔がかげった。

「だけど？」

「……あのとおり愛想がよい子でしょう。誰にでも好かれてね。誰とでもすぐ親しくなってね。何か見ていて、母さん心配な時があるんだよ」

悪意のこもった言い方ではなかった。確かに母の言うとおりかも知れないと、文治も思う。八重は子供のように無防備過ぎる。文治に対しても、気軽に肩に手をかけたり、時には膝をゆすったりする。それは必ずしも男性に対してだけの仕種《しぐさ》ではなく、姑のキワに対しても、近頃雇った若い女中に対しても、志津代やふじ乃に対してもする仕種で、八重に他意のないことは確かなのだ。が、キワの話によると、八重は初対面の男に対してもすぐに好意を示し、馴染み、袂《たもと》で相手の膝を打つことも、始終あることらしい。それが人気を得る一つともなったが、他方、

「あの若いお内儀さん、もとは商売女じゃないのかね」

　という噂も立った。初めは恭一も、八重のすること言うことを笑って見ていたが、この頃は少し変わって来たようだ、とキワは文治に言った。それは、決して陰口というのではなく、文治に何か知恵はないかと思っての話らしかった。

「兄貴は注意したんだろうね」

「それはむろんのことだよ。だけどね、あれは生まれつきというのかねえ、すぐにわれを忘れて、子供のように心安くなってしまってね」

　文治は幾度もうなずきながら、そのあけっぴろげなところが、子供の頃からの可愛らしさだと思った。だが、人妻となった今では、それがいつの間にか大きな欠点となっている。不思議なものだと文治は思った。八重と結婚した恭一は気楽でいいと、今日も心のどこかで、羨望に似た想いを抱いていたのだが、これはもしかしたら、大きな重荷を恭一は背負いこんだことになったかも知れない。文治は俄かに心が引きしまるのを感じた。

　考えてみると、八重には嫌いな人間がいないように思われる。小学校時代をふり返ってみても、校長にでも、畳屋の親方にでも、寺の住職にでも、会えばすぐに腰にまつわりついた。そのままの気持で、体だけ大人になったような八重は、自分の性格を顧ることは出来ないかも知れない。会う人、会う人、手当たり次第親しくなられては、なるほどやり切れないにちがいない。文治は、この頃来る度に恭一が布団部屋で寝ているのは、あるいは只の昼寝ではないのかも知れないと、今にして気づいた。

「大変だなあ」

文治はキワに言うともなく呟いた。俄かに、人間が生きるということの困難さを覚えたのだ。文治自身、ふじ乃に対して、心のどこかに、人に知られたくない思いがあるのを知っている。志津代の心の中に、生みの母をうとむ思いのあるのを知っている。まだ幼子に過ぎない新太郎の心の中にも、制禦《せいぎょ》し難い酷薄な芽が芽生えているのが感ぜられる。そうした自分の家庭に、いつとはなしにかかった黒い雲、その雲から逃れたい気持が自分にはあった。その逃れ先は、母や恭一の傍らだった。が、そこもまた、わが家以上に妖雲《ようウん》に襲われているかも知れないのだ。

(どこの家庭も嵐を孕《はら》んでいるのだな)

思いながら文治は、

「ちょっと兄貴の顔を見て来ようかな」

と言った。キワが、

「そうだねえ」

と、浮かない顔をした。それは、キワの余り見せたことのない表情だった。文治はちょっとためらったが、思い切って布団部屋に行って見ることにした。

「俺も少し昼寝して来る」

立ち上がった文治を、キワは引きとめなかった。

八重の姿も、新太郎の姿もなかった。この間入ったばかりの女中が、廊下の突き当りの洗面所で、タオルを洗っているうしろ姿が見えただけだ。文治が、玄関から真っすぐ上がって行く階段を、二、三歩上がった。ふと、足がとまった。が、思い切って、再び階段を登った。

布団部屋は、北向きに造られた八畳の部屋だった。板戸が一寸ほどあいていた。開けようとした時、文治が開けるより先に、中から戸が開けられた。

「何だ、何か用か」

文治は目を疑った。三、四日会わないうちに、恭一の人相が変わっていた。

「俺も昼寝させてもらおうと思ってさ」

恭一はくぼんだ目を文治に向けたが、

「昼寝？　ここは涼しいぞ」

声音が不意に優しくなった。いつもの恭一の声だった。

「兄さんはどこに行くの？」

「小便だ」

恭一がちらりと笑った。文治は少しほっとした。北向きに造られた布団部屋は、確かに他の部屋より涼しかった。小さな明り取りがあるだけの、薄暗い部屋の中に、敷布団や掛布団が積み上げられていた。その布団と布団の僅かな空間に、畳が顔を出していた。こんなところで、この幾日か、昼休みの時間には人を避けて横になっていたのかと、恭一の心の中を思った。文治は、何が起きたのか、知ることが恐ろしい気がした。

階段に重い足音が来て、恭一が戻って来た。恭一は黙って文治のそばに寝ころんだ。

「どこか、体が悪いのかい」

ついいたわる語調になった。

「いや、別に」

短い返事が返って来た。

「苫幌とちがって、旭川は滅法暑いからなあ」

「うん」

「商売も忙しいだろうし、兄さんだって疲れるさなあ」

「……………」

「昨日も一昨日も昼寝をしているというからさ。心配していたのさ」

「ふーん」

「何だ、気のない返事だな」

「……」

「体が悪いんなら、病院に行くといいよ」

「……」

文治は上半身を起こして恭一を見た。恭一の目尻に光るものがあった。文治は、はっとしたが、気づかぬように再び横になった。自分の胸が俄かに動悸してくるのを感じた。文治は黙った。今、何をも聞くべきではないと思って、薄暗い天井を見た。恭一も黙っている。

五分も過ぎた頃、恭一が言った。

「文治、苫幌の生活は楽しかったな」

声音が和《なご》んでいた。

「うん、楽しかった」

「今はどうだ?」

「……そうだなあ、楽しいと単純に言える生活ではないな」

「まさか、文治の家庭には何か問題が出来たわけじゃないだろう」

今度は恭一が起き上がった。

「兄さん、人の家庭というものは、よそからはわからんもんだよ」

「しかしお前、志津代ちゃんとは惚れ合って一緒になった仲じゃないか」

「そうだよ。だから志津代との仲はいい。だが、おっかさんや新太郎とも惚れ合って一緒になったわけじゃないからね」

　言ってから、文治は自分の言葉にぎくりとした。ふじ乃が聞いたら憤るにちがいない言葉だと思った。

「そうか。そんなものだな。しかし、夫婦が仲がよければ、言うことはないよ」

「何だい、まるで兄さんと八重さんの間は、よくいっていないような言い方じゃないか」

「……………」

「兄さんたちだって、好き合って一緒になったんだろう」

「好き合ってか。……なるほどそうか。八重は可愛い奴だよ。うん、確かに可愛い奴だ」

「じゃ、問題はないわけだ」

「まあな。……な、文治、馬には乗ってみよ、人には添うてみよって言葉を知ってるか」

「知ってるよ」

「お前、八重をどう思う?」

「無邪気な人だと思うよ。明るくて、楽しい人だ」

「俺も、そう思ってたよ」

「じゃ、そうじゃないと言うのか」

「いや、おんなじさ。誰もが言うよ、楽しくて、明るくて、親しみやすくて、だがな文治、おれはこの間……」

　言葉が途切れた。

「何かあったのかい、兄さん」

　文治も起き上がった。

「うん……こんなこと言うまいと思ったが、お前にだけは聞いて欲しい。この間の夜のことだ。八重が便所に立っていった。寝るすぐ前だ。だから十二時頃だったろう。その八重が、なかなか帰って来ない。何の気もなく、俺も廊下に出てみた。すると……」

「………」

「俺はびっくりした。八重が男と抱き合っているんだ。便所の横の、洗面所の前でな。むろん、男と寝たわけじゃない。だが、俺は頭にカッと血が上ってな。思わず怒鳴りつけようとして、ようやくこらえた」

「………」

「俺は部屋に戻った。八重も間もなく戻って来た。だがな、文治、八重はけろりとしているんだ。たった今、男と口を重ねんばかりにしていたのに、全くいつもの八重なんだ。おれは強烈な衝撃を受けた。文治、俺はどうしたらいい?」

語尾がふるえた。

三

「文治、俺はどうしたらいい？」

　恭一に言われて、文治は黙った。客の男と、口を重ねんばかりに抱き合っていたという八重の姿を、自分も見たかのように、なまなまと目に映った。その八重が、けろりとして夫婦の寝室に戻って来る。そう聞かされて、どんな返事が出来るだろう。恭一を惨めな思いにさせないためには、何と返事をしたらよいのか、答えようがなかった。

（もし志津代が、他の男と抱き合っているのを見たとしたら……）

　思っただけでも恐ろしい気がした。恭一が言った。

「この宿を開く時な、俺は八重に言ったんだ。お客さんがどんな無理を言っても、はいはいと従うんだよ、とな。だから、もしかしたら、あの時八重の奴は、客に抱きすくめられて、逃げだしたいのを我慢していたのかも知れないと、思い直しもしたんだが」

「なるほど！　それだよ、兄さん」

　間髪を入れずに文治は言った。とにかく、何か言うことが出来て、文治はほっとしながら、

「八重ちゃんは、子供のまんま大きくなったような人だから、悪気なんか、針先ほどもない

んだよ。客が少々無理を言っても、我慢をしろと兄さんが言ったその言葉を、八重ちゃんは額面どおりに……そうだよ、兄さん。八重ちゃんはそんな子供みたいな突拍子もないところがあるんだよ」

「そうかも知れないなあ」

嘘でもいい。八重の不貞を否定する人間を兄は欲しいのだと、文治は思った。

「兄さん、ほら、母さんもさ、父さんと山形屋をやっていた時、手を握ったり、膝にさわったりする客がいて、いやだと言ってたことがあったじゃないか」

確かその一人に、増野録郎がいたような気がする。文治はちらりとそれを思い、ふじ乃の顔を思い浮かべた。

「うん、おふくろは、そんな客の手は、きっぱりとふり払ったと言っていたな」

「うん、うちのおふくろは、特別しっかりした人だからな。いや、八重ちゃんがしっかりしていないというわけじゃない。只、男のあしらい方など、まだわからない、と言ったほうがいいのかな。あの齢では、客をそらすなと言われたら、手を握られてもふり切っちゃいけないんだ、少しぐらい抱きしめられても、恥をかかしちゃいけないんだ……そんなふうに思っているんじゃないかな」

言いながら文治は、そうであって欲しいと切に願った。

「まあ、そう言われればそうかも知れんな」

「そうだよ兄さん。兄さんだって、八重ちゃんや志津代を、浜でよく抱きすくめたりしていたことがあっただろう?」

文治は少年の日に見かけた光景を忘れてはいない。兄の恭一は、何のためらいもなく、泳いでいた子供の志津代を抱き上げていたりしたものだ。

「……どこのどいつだ。畜生! 志津代の婿になる奴は」

確かあの頃、恭一はそう言って志津代を抱きしめたこともあった筈だ。真似の出来ない文治は、そんな恭一を心の底でかすかに羨《うらや》みもしたものだった。

「馬鹿言え。あの頃は俺も相手も子供だった」

恭一はちょっと苦笑して、

「しかし八重は少なくとも人妻なんだ」

「人妻かも知れないが、八重ちゃんは小学生の頃の八重ちゃんと、気持はおなじだよ。だから、兄さんが言って聞かせればいいんだよ。さりげなくね。宿屋は客商売だから、客は大事にしなければならない。が、手など握られたら、何か用事を思い出したように、急いで座を立つんだ、とか何とかさ」

「……そうかなあ、あいつ、子供なのかなあ。邪気のない奴だということはわかるんだが……。どうだろう、文治、お前から言って聞かせてはくれまいか」

「俺から?」

「うん。何も知らぬ顔でな。八重に、もっと人の嫁さんらしくすれとか、何とかよ。お前の言葉のほうが、俺の言葉より効くかも知れないぞ」

なぜ文治の言葉のほうが八重に効くというのか、恭一の真意は測りかねたが、文治はこだわらずにうなずいて、

「俺でよかったら……」

と答えた。が、答えてから、もし自分の言葉が、八重の今の態度を変えないとしたら、と不意に不安になった。

「善は急げだ。お前、今日忙しくなかったら、ちょっと言ってやってくれないか」

「今日かい、兄さん」

「うん、一日も早いほうがいい」

恭一の顔に生気が戻ったようだった。

「うん、……今日でもいいけどさ、兄さん。むしろ、志津代に話してもらったらどうだろう。あの二人は昔から仲がよかったしさ」

「いや、志津代ちゃんより、お前のほうがいい」

「いや、何なら志津代と二人で言おうか」

「文治、どうしてそんなに八重を避けるんだ」

「避けるわけはないけどさ。そのほうがおだやかな気がしてさ」

「冗談じゃないよ。俺は志津代ちゃんにこんな話は聞かせたくないんだ。八重がほかの男に抱かれていたなんて、俺は絶対知られたくないんだ」

「わかったよ、兄さん」

「な、わかるだろ。だがお前、志津代ちゃんに言うだろうな、八重のこと」

「言いやしないよ。いくら夫婦でも、言っちゃいけないと言われたことは、言わないよ」

文治はこの言葉には嘘はないと思った。だが、どんなことでも話し合おうと決めていた自分たち夫婦の願いは、必ずしも願いどおりにはいかないことを思った。ふじ乃が汽車の中で、自分の体に寄りかかったなどということも、志津代には言えない。夫婦といえども、そのような言えないことが重なっていくのだろうと、文治は思った。

(兄貴にしても……)

結婚して半年も経たない中《うち》に、妻に言えぬ思いを胸に抱いている。八重が客に抱かれていた姿を見たことも、今、自分に、八重に忠告して欲しいと頼んだその言葉も、恭一一人の胸にたたんでおかねばならない。自分より兄のほうが、一人胸に秘めておかねばならないことが、多くなる予感がして、文治は辛かった。

「そうか、それじゃ文治頼んだぞ。お前ここに、少しの間休んでいれ。十分か十五分ほどしたら、八重に起しに来るように言うから」

「え？　ここで八重ちゃんに言うのかい」

「そうだ。ここしかないだろう。下にはおふくろがいるし……おふくろも気づいているとは思うけどね」

「……わかったよ……ま、何とか言ってみるよ」

「頼むな。じゃ」

　恭一は一瞬文治の目を強く見つめて、布団部屋を出て行った。階下の廊下で、柱時計が一つ、静かになるのが聞こえて来た。

四

文治は畳の上に手枕をして、ぼんやりと天井を見上げていた。小さな窓から射す光に、天井の木目が見える。薄暗いので、その木目がゆらゆらとゆらめいて見える。文治はほっと吐息を洩らした。八重になんと切り出してよいか、見当がつかない。いきなり、男に手を握られたら、ふり払えなどとは言えない。人けのない宿の二階は、街の中とは言え、しんと静まり返っている。どこかで犬の吠える声がした。苫幌ならば、波の音が風に乗って聞こえてくる。が、旭川の街は、街のざわめきというほどのざわめきもなければ、波の音もない。街が眠ったかと思われるほどの、森閑とした静けさのつづく時がある。

文治は、八重に何から話してよいかわからぬと思う一方で、妙に落ちつかなく八重を待っている自分に気づいた。それはややときめきに似ていた。文治は更に大きく吐息をし、時計を見た。あと二、三分で、そろそろ八重が来る。と思った時、階段を登る足音がした。文治は思わず生唾をのんだ。

(本当に何から話したらいいんだ)

文治は戸口に背を向け、昼寝をよそおった。部屋の前で足音がとまった。ノックもなく、いきなり板戸が開いた。

「文治さん、こんなところに寝てるの」

八重の柔らかい手が文治の背にかかった。文治はぎくりとした。

「うちの人が、起しておいでって言ったの」

柔らかい手が、二、三度文治の体をゆすぶった。

「ああ、ごめん、ごめん」

文治は今まで寝ていたような顔をしてあぐらをかいた。

「あら、いやだ」

八重が、それが癖の肩をふるわせて、くっくっと笑った。

「何が?」

文治はちょっと眩しげに八重を見た。

「だってさ、文治さんの脛《すね》に毛が生えているもの」

八重は平手で文治の脛を叩いた。叩いたその手がそのまま脛に置かれた。文治は頭をひとふりふって、

「八重ちゃん、八重ちゃんは子供の時のまんまだな」

と、八重の手をそっと外した。

「あら、そう。うちの人もおんなじことを言うわ。どうして？　わたし、もう子供じゃないわ」

問うまなざしに笑みが漂っている。

「八重ちゃん、子供っぽいっていうのは、ある時は長所だが、ある時は短所だな」

八重は朝顔の花を散らした紺地の浴衣の膝を少し崩して、文治の膝すれすれに坐っている。

「ある時は長所、ある時は短所？」

問い返す顔があどけない。ふっと、死んだ八重の父の木村医師の顔が目に浮かんだ。文治に勉強をさせてやると木村医師は言った。八重の婿になってくれまいかと言った。あの時、もしその申し込みに応じていたら、この八重は、自分の妻となったかも知れないのだ。八重がいじらしいような気がした。

「うん、君の場合、短所の傾きがあるな」

「まあ！　どうして」

八重の手が文治の膝にかかった。文治は素早く膝をずらして、

「ほら、それだよ、八重ちゃん」

「それ？」

「そう。今、八重ちゃんはぼくの膝に手をかけただろ」

「ええ、それが悪い？」

「そう。それが子供さ。八重ちゃんはね、兄貴の嫁さんだよ。人の奥さんだよ」

「そうよ。だから？」

「なあんだ、八重ちゃんは何もわかっていないんだな。一旦人妻となったらね、自分の夫以外に軽々しく手をふれちゃいけないんだよ」

「あら、どうして？」

　また、八重の手が文治の膝に伸びようとした。

「ほら、また！」

　文治は少しきびしい語調になった。

「あら、ほんと。これ、わたしの癖なのよね、小さい時からの」

「小さい時からの癖だと言って、それですむことじゃないんだよ、八重ちゃん」

「そうお？　悪いこと？」

「悪いことだよ。八重ちゃんは男というものを、まだよく知らないんだよ」

「男？」

「うん、男というものはね……」

　文治は腕を組んで、ちょっと窓を見た。男というものは飢えた狼のようなものだと言おうと思ったのだが、その言葉さえ八重には通じないような気がした。

「男ってなあに？」

「うん、男ってものはね、女のほうから膝に手をかけたら、この女は自分に気があるなと思うものなんだ。自分に体を許す気があるなと、そう思いこむもんなんだよ」

「あらいやだ！」

いきなり、文治は太股を叩かれた。

「体を許す気があるなんて……いやだわ、いやらしいわ」

と、八重は身をよじって笑った。自分が文治を叩いたことも気づかない。

「八重ちゃん、笑いごとじゃないよ。八重ちゃんはぼくが幼なじみだから、気安くぼくにさわるのかい。それとも、客でも誰でも気安くさわるのかい」

八重はちょっと首をかしげた。多分八重には、無意識の動作なのであろう。

「八重ちゃん、変なことを聞くけれどね、八重ちゃんは客から手を握られることなんか、ありはしないかい？」

文治は自分の質問が、八重を傷つけはしないかと思いながら、しかし思い切って尋ねた。

「それが、しょっちゅうなの。男って、すぐ手を握るのよ。いやだわ」

八重はけろりと言った。文治は複雑な思いで、更に尋ねた。

「そんな時、八重ちゃんどうする?」

「うん、いやだとは思うけどね、うちの人が、宿屋は客商売だから、少しぐらいのいやなことは我慢するんだよって、言うのよね。だからこの頃は、手を握るくらい馴れちゃった」

八重は、にこっと笑った。

「馴れた?」

「そう、馴れたの。だってね、文治さん、客の中には、お酒の酌をしてあげたら、肩を抱きすくめたりね、わたしの腰にさわったりね、そんなことをする人だっているのよ」

「へえー、そんなに行儀が悪いのか、客というものは」

「わたしまだ二十でしょ。でも、もっと若く見えるらしいの。娘だと思うのね。この間なんか、厠に行った時、抱きすくめられてね。ねえ、ひどいでしょ。どこまで我慢したらいいのかしら、宿屋の商売って」

「八重ちゃん」

文治は不意に、八重を抱きよせたいような思いがした。八重がひどく不憫に思われた。八重は只、恭一の言葉を金科玉条として守っているだけなのだ。

「八重ちゃん、そんな客たちのこと、兄貴には言ったのかい?」

「ううん、言わないわ」

「どうして?」

「どうしてって、宿屋は客商売だから、少しぐらいのことは我慢せって、最初に何べんも言われてるんだもの」

「馬鹿だな、八重ちゃんは。我慢していいことと、悪いことがあるんだよ。手なんか黙って握られてることなんかないんだよ」

「あら、ほんと?」

「ほんとさ」

「だって手ぐらい、我慢しなきゃ」

「我慢なんかすることないよ。八重ちゃんは人妻なんだ。ふつう世間の人間は、人妻の手を握るなんて失礼なことはしない。だから手を握られたらさっと立ち上がって、お風呂加減を見なくちゃとか、七輪に鍋をかけ忘れてきたとか、上手に逃げるんだよ」

「あら、文治さん、そんなことどこで覚えたの。偉いわねえ。わたしも真似てみる。じゃ、抱きすくめられた時はどうするの? 腰にさわられたり……」

「そんな時は、憤然と怒っていいよ。遊び女じゃないんだ。れっきとした宿屋のお内儀さんなんだ。失礼な! と叱りつけていいんだよ。いや、叱りつけるべきなんだよ」

「でもさ、文治さん、そのお客さん、怒って二度と来なくなったらどうするの?」

「かまやしないよ。そんな客は、二度と来てくれなくて結構さ」

「ほんと？　ほんとなのね文治さん。いいことを教えてくれてうれしいわ」

あっという間もなかった。八重は文治の首に抱きついた。

「八重ちゃん！」

文治はあわてて立ち上がった。その立ち上がった文治の目に、いつの間に来たのか、廊下に立ってこっちを見ている新太郎が映った。

五

「ついこの間まで、暑い暑いと言っていたのに、いつの間にやら、羽織が要るようになったよ」

鏡台の前で着物を着替えながら、ふじ乃が言う。

「本当にね」

茶色と紺の、粋な縞模様の羽織を肩にかけたふじ乃を見上げながら、志津代は相槌を打った。まだ九月の半ばだというのに、朝夕は火鉢に火が欲しい。

「この柄、少し突飛かしらね」

羽織の紐を器用に結んで、ふじ乃がちょっと首を傾ける。ふじ乃は、また醤油屋の若旦那に誘われて、マージャンに出かけるのだ。いつかふじ乃に「おっかさんはお前たちに気兼ねをしているんだよ。お前はいつも、おっかさんが何をしでかすか、心配で見ていられないのだろう」と言われてからは、ふじ乃のすることに、何の口出しも出来なくなった。

「突飛ってことはないけど、おっかさんはそんな柄が似合うんだから、いいじゃないの」

志津代は言ったが、本当は、踊りの師匠か小唄の師匠が羽おるような、粋な縞柄だと思う。色合も、どう見ても素人のものではない。本来なら、そんな羽織は着ないでほしいと、志津代は言いたいのだ。言いたいことが言えなくなった。そんな自分が冷たくなったようで、志津代はいやだった。帰りはどうせ十二時を過ぎると知っているから、早く帰ってとも言えない。ちらりと視線が仏壇に走る。

「文治さん、今日も遅いのかね。このところ、遅い日がつづいているようだけど」

自分のことは棚に上げて言い、胸の帯をぽんと叩いて、

「じゃ、行って来るよ」

と、ふじ乃は志津代の顔を見た。今日は夕食を馳走になるとかで、まだ六時半前である。紘治を遊ばせていた新太郎が、玄関まで駆けて出て、

「おっかさん、うまいもの買ってきてよ。早く帰ってよ」

と、大きな声で言った。

「わかったよ。お姉ちゃんの言うことをよく聞くんだよ」

門の所でふり返り、ふじ乃は行ってしまった。

「新ちゃん、そろそろご飯を食べようか」

「うん、腹すいた」

母親に置いていかれるのは馴れていて、新太郎はすぐに卓袱台《ちゃぶだい》の前に坐った。今、ふじ乃に言いたいことを言えるのは、新太郎だけだと思いながら、志津代は火鉢にかけた味噌

汁の蓋を取る。

この二、三日、文治の帰りが遅かった。事件がつづいたためだったが、志津代はそうは思わない。八一旅館に寄っているような気がするのだ。五十日ほど前のあの暑い日のことを、志津代は決して忘れはしない。夏休みが始まって間もなくのその日、新太郎が、旅館の叔母さんのところに行って来る、と言って出かけた。その日の午後、志津代は庭先で張り物をしていた。暑い日ではあったが、日陰になっているその場所は、時々風も通って涼しかった。暇々にほどいてあったふじ乃の袷の銘仙を張っていたのだ。そこへ小鼻に汗を噴き出し、真っ赤な頬をして、新太郎が帰って来た。

「あら、暑かったでしょう。あちらのお母さんも八重ちゃんも元気だった?」

「うん、元気だよ。あんね、お姉ちゃん、ぼく、お客さんつれていったんだよ」

縁側に腰をおろして、新太郎は言った。

「お客さんを連れて行った?」

ちょうど紘治が昼寝をしていたから、志津代は声をひそめた。新太郎も心得て、少し声を落し、

「うん、八一旅館にとまりませんか、おやすくしておきますよって、つれていったの」

「まあほんと!?」

　思わず志津代は糊つけの手をとめた。

「ほんとだよ、お姉ちゃん」

「あきれた子ねえ」

「八重おばちゃんが、偉いねって、ほめていたよ」

　新太郎がちょっと口を尖らせた。

「そりゃあ偉いけどさ、そんなこと、子供がしちゃ駄目なのよ」

「うん、お兄ちゃんもそう言ってた」

「あら、お兄ちゃんも八一旅館に行っていたの？」

　この頃、時々八一旅館で一服させてもらっていると、文治から聞いてはいたが、新太郎の口から聞くと、何か意外な気がした。

「うん、お兄ちゃんきていたよ。ふとんべやでね、八重おばちゃんと、なにかしゃべっていたよ」

「布団部屋で？」

　大して気にもかけずに、志津代は張り終った張り板を軒に立てかけた。

「うん。お兄ちゃん、ふとんべやでひるねしていたの。八重おばちゃんが、お兄ちゃんの首に、だきついたの」

新太郎が言った。

「え？　八重おばちゃんがお兄ちゃんの首に抱きついた？」

志津代は新太郎のそばに腰をおろした。

「うん、こんなふうに」

新太郎はふっくらとした腕を、志津代の首に巻きつけた。志津代は目まいを覚えた。

「おじさんもそこにいたの？」

「ううん。おじさんと大きいおばちゃんは、下にいたの」

「新太郎はどこにいたの？」

「ぼく、かいだんをあがっていったの。そしたら、八重おばちゃんだきついたの」

志津代の顔色が変わっていることに、新太郎は気づかない。新太郎は、苔のはえた地面に目をやりながら話している。信じられないことだった。誰もいない布団部屋で、文治と八重が抱き合っていた。そんなことがあってよいのだろうか。子供の新太郎の言葉を信用していいのだろうか。いや、子供の言葉だからこそ、この場合は信用出来るのだ。志津代は、足から力がぬけていくのを感じた。

「おじちゃんは、氷水二はいのんだわ」

思い出しながら語る新太郎の言葉は、耳に入らなかった。

（文治さんに限って！）

（でも、新太郎が嘘を言うわけはないわ）

（いくらなんでも、恭一さんのいる家で）

（だけど文治さんも男だから……）

（でも、きっと何かのまちがいだわ。文治さんに聞いてみるわ）

千々に乱れる心を押し静めながら、あの日文治が帰るのを待つ時間の、何と長かったことか。新太郎に志津代は言った。

「抱きついた話、おっかさんには内緒だよ」

「どうして？」

新太郎は不思議そうな顔をした。

「おっかさんが心配するからよ」

「どうしてしんぱいするの？」

「心配するものなの。決して言っちゃいけないよ」

そう口止めしたのだが、買物から帰って来たふじ乃に、新太郎はあっけなく言ってしまった。

「おっかさん。お兄ちゃんと八重おばちゃんと、だっこしてたよ」

とめる暇はなかった。

「なんだって?」

買物籠を上りがまちに置いたまま、ふじ乃は一瞬ぽかんとした顔になって、

「志津代、ちょっとここにおいで」

と不機嫌に言い、先に立ってさっさと茶の間に入った。

「新ちゃんたら!」

新太郎を睨んだが、後の祭りであった。

「今の話、何のことだい?」

問われて志津代は、新太郎の言った言葉をそのまま告げた。ふじ乃は団扇で、くつろげた胸に風を送りながら聞いていたが、

「文治さんだって男だよ。ま、あまり騒がないで見ているんだね」

と、突き放すように言った。

「文治さんに限って、そんなことはないと思うわ」

志津代は抗うように言った。

「みんなどこの女房も、うちの亭主に限ってと、信じてるものさ。でもね、志津代。男というものは……俄かに獣になることがあるんだよ」

「でも文治さんは……」

「そりゃあ文治さんはまじめな男だよ。おっかさんだって、そう思う。でもね、人間は、まさかと思う人が、あやまちを犯すことがあるんだよ。まさか自分が、あやまちを犯すことはありゃしないと。おっかさんだってそう思って生きて来た。そのおっかさんもまちがいを起した。あやまちを犯した。とにかく黙っていたら、いつの間にか終わることだよ」

「……………」

「人間っておかしなもんでね。騒がれると騒がれたようになるものさ。お前も気づいていたかも知れないけれど、おっかさんと醬油屋の旦那のことね、この正月にみんなが騒いだろ。お互いは何の気もなかったのに、それから妙な具合になってさ。おっかさんと若旦那は、今ちょっとわけありの仲になっているんだよ」

そう言って、ふじ乃は乾いた声を立てて笑った。

「おっかさんもやもめ、若旦那も独り者、どんな割ない仲になっても、誰からも文句を言われる筋合はないのさね」

ふじ乃は他人事のように、さばさばとした口調で言った。あとで考えると、ふじ乃は一番告白しやすい時に、若旦那との仲を告白したことになる。八重と文治のことに動転していた志津代にとって、母と若旦那のことは、それほど大きなこととしてひびかなかった。

内心二人の仲を疑っていたこともあって、ふじ乃の告白に、衝撃を受けるというほどのことはなかった。だが、文治と八重のことは、正に青天の霹靂《へきれき》であった。まさか、キワや恭一のいる家の中で、肉体関係を結べるとは思えなかったが、抱きよせて口づけすることは、一、二分あれば出来ることだった。八重が文治の首に手をまわしたというのは、口づけを想像させる姿態であった。

あの日、陽が山に沈んだ頃、文治は帰って来た。その文治の顔を見るのが志津代は恐ろしかった。

「今日は暑かったなあ」

志津代は答えようとして、しかし声が出なかった。文治はそんな志津代に気づいてか気づかないでか、

「でも旭川の夏は、東京とちがって楽だよ。日が入ればすぐ涼しさが戻って来るからね。東京では寝るにも寝られない夜があっても、こっちじゃそんなことはめったにない」

いつもより、文治が饒舌《じょうぜつ》に思われた。ふじ乃が、黙っている志津代に代って言った。

「暑い一日、大変だったねえ」

いつものねぎらいの言葉だった。が、志津代には皮肉に聞こえた。暑いさ中に、八重と抱き合っていて大変だったの意味をこめて、ふじ乃が言ったような気がしたからだ。

「いや、それほどでも……」

志津代が一言も発しないことに、文治は気づいたようであった。幾度となく、視線が志津代の上に走った。紘治が、帰って来た文治に、はしゃいでまつわりついた。子供が間の悪さを埋めているような感じだった。食事が終って、ふじ乃がさり気なく言った。

「文治さん、この頃お昼に帰って来ることがなくなったわねえ。お昼ご飯、どこで食べてるの」

「社の近くに、うまいそば屋があるんです」

「そばのそば屋さんかい」

ふじ乃は駄じゃれをいって笑ったが、

「恭一さんたちはお元気かね」

と尋ねた。一瞬、文治は黙った。キワたちは元気かと聞かれれば、さらりと返事が出たかも知れない。だが、恭一の名が出ると、布団部屋に仰向けに寝て、涙を浮かべていた兄の姿が思い出されて、一瞬言葉が詰まったのだった。志津代は文治を見、ふじ乃を見た。ふじ乃も文治を見、志津代を見た。が、二人の視線がすぐに離れた。

あれから五十日、志津代は暗い気持で生きて来た。

八一旅館

置手紙

置手紙

一

雪雲を透かして、冬日が白じろと小さい。文治は窓越しにその白い冬日を見上げながら、

(何の話だろう?)

と考えていた。

今日は文治の休日である。新聞社は休みが滅多にない。編集長が気が向いた時、

「おい、明日は休んでもいいぞ。但し、事件が起きたら呼びにやるからな」

と、休みをくれる。文治は昨日、不意に「明日は休みだ」と言われたのだ。休みと言っても、どこへ出かけて行く当てもない。ゆっくり家で本でも読もうかと思っていたのだが、ふじ乃が外出の仕度をしながら、

「ちょっと二人に話があるんだけど、午後からどこかにでかけるかい」

と、言ったのだ。

「別に、どこにも出かけませんが」

文治はていねいに答えた。少しでも気の乗らぬ返事をしてはならない。どこへ行くとも

言わずに、

「一時過ぎには帰って来るよ」

と、ふじ乃は出て行った。その一時がもう過ぎていた。

「そろそろ、帰る頃ね」

昼食の後始末をしていた志津代は、前垂れで手を拭きながら近づいて来た。

「うん。何の話かな」

「何だか、落ちつかないわよ。改まって、話があるなんて言われたら」

学校から帰った新太郎は、昼飯を終えるとすぐに外へ飛び出して行った。大方角の空地で、他の子供たちと橇にでも乗って遊んでいるのだろう。ふじ乃が、話があるなどとさえ言わなければ、文治と志津代にとって、二人っきりの静かな昼のひと時は楽しいものの筈だった。

「紘治は、いつもこの時間は昼寝かな」

先ほどまで賑やかな声を上げていた紘治は、部屋の片隅で眠っている。

「ええ」

「子供は天使だね」

「ええ、子供はね」

志津代は、大人に天使はいないような気がした。

それから二十分ほどしてふじ乃が帰って来た。

「ご飯は？　おっかさん」

「鍋焼きうどんをごちそうになってきたから、いらないよ」

志津代は、「どこでごちそうになったの」と、問いたかったが、

「寒い時は、鍋焼きうどんが一番ね」

と、文治を見た。

「ああ、そうだね」

相槌は打ったが、文治は別のことを考えているふうだった。

「話があると言ったのはね、ほかでもないんだが、園田さんの若旦那のことなんだけど
……」

ふじ乃の言葉に、志津代は、

（やっぱり……）

と、心の中でうなずきながら、

「若旦那がどうかなさったの？」

と、ストーブの上の鉄瓶の湯を急須に注いだ。

「文治さんには、辰之助さんのこと、こと改めて話したことはなかったよね」

「はあ」

文治は真面目な顔をした。こんな話を聞く時、どんな表情をすればよいのか、内心文治は戸惑った。が、結局は真剣な顔で聞くべきなのだと思った。

「でも、わたしと若旦那と、いい仲になっていること、志津代から聞いたでしょ」

ふじ乃は全く悪びれていない。そのほうが、文治も志津代も気楽だった。親に小さくなられては、話を聞くのが辛くなる。

「いいえ、まだ……」

「まだ? なんだい志津代、ずいぶん前にお前に言っておいたじゃないか。お前たち夫婦って、意外と水臭いんだね」

「だって、おっかさん、あれはわたしにだけ言った言葉じゃなかったの」

「馬鹿だね、志津代は。夫婦なんてものはね、一人だけの胸にしまっておいてよ、と言ったとしても、すぐ言ってしまうのが当り前だよ。だから、こっちが何か言う時は、あ、これはすぐに伝わってしまうと思って言うものさ。夫婦のどっちかに口止めするなんて、野暮な話さ。第一、おっかさんは、これは内緒だよなんて、そんな吝《けち》なことは言わなかった筈だ」

ふじ乃は、出された茶を手に持って笑った。そのふじ乃を、文治は今更のように美しいと思った。目鼻立ちはふじ乃に似ていても、志津代の美しさはまだ固い。二人を並べて見ると、全く異質の美しさなのだ。「こぼれるような色気」という形容詞が、ふじ乃にはぴたりとあてはまる。湯呑茶碗を持つ指の形、流し目で人を見る視線、着物の着方、全てが天性の女であった。

「だって、秘密だと思ったから……」

志津代は口ごもった。

「だっても何もありやしないよ。女はね、自分の亭主が第一でなくちゃ。ま、それはそれとして。じゃ、改めて言いますけどね、わたしは、辰之助さんと……ということになってね、もう半年以上になるんですよ」

「はあ」

文治の目に、園田辰之助とふじ乃の寝姿が生ま生ましく浮かんだ。

「わたしとしては、別段浮いた気ではなかったけど、何しろ辰之助さんは、幾つも年下だろう。時が来れば向うも飽きがくる、こっちも同じく飽きがくると、身を退く時を考えながら、つき合っていたわけよ」

「なるほど」

われながら不器用な返事だと思いながら、文治はうなずく。多分そんなことになっているだろうと、想像しないわけではなかったが、こと改めて聞かされると、何か自分が悪いことをしているようで、返事がぎくしゃくとなった。

「ところがね、二、三日前、わたしは園田さんの大奥さんに呼ばれてね、辰之助さんときっぱり別れてくれないかと言われたのさ」

思わず志津代と文治は顔を見合わせた。内心、ほっとする思いが二人の胸に流れた。

「それで？」

志津代が促した。

「それで？　それでも何も、もう若い娘じゃないよ。正月が来ればおっかさんは四十だもの。だけど、いきなり別れて欲しいと言われては、はい、そうですか、とは言えなくてね」

語尾が俄かに神妙になった。志津代は黙ってうなずいた。だが、一体母はどう答えたのだろうと、内心じりじりする思いだった。

「まあ向うの言い分はね、若旦那が来年は三十三になる、いつまでも独りにしておくというわけにもいかない、知ってのとおり、東京でもらった嫁は、旭川の寒さに驚いて逃げだした、あげくの果てに可愛い孫を死なせてしまった、大旦那は小康を得ているものの、今では辰之助がいなければ、店も成り立たない、ここらで、地元からどこかの娘さんをもらってやろうと、親と親戚の間で相談は決まっている、と言うわけさ」

「…………」

「ま、聞けばお説ごもっともさね。さようでございますかと、引き下がるのが当然かも知れないわね。が、おっかさんは、縁談があると聞いて腹に据えかねた」

「…………」

家の前を過ぎる馬橇の鈴の音が澄んでひびいた。前掛けの布を、くるくると巻いたり戻したりしながら、聞いている志津代をふじ乃はちらりと見て、

「だってそうじゃないか。辰之助さんが三十二、わたしは三十九、二人共もう子供じゃないよ。その二人の中に、親や親戚が勝手に割りこんで、別れてくれの、切れてくれのと言うのは、少しばかり馬鹿にしていやしないかい。こりゃあ辰之助さんが、わたしにじかに語ってくれていい言葉だよ。ね、そう思いはしないかい、文治さん」

名前を呼ばれて、文治は組んでいた腕を思わず膝の上に置いた。

「ま、そうですね。おかあさんの言うとおりだと思います」

「でしょう」

ふじ乃はにっこりとし、

「それで、わたしは言われたことを一部始終、辰之助さんに話したのさ」

「そしたら?」

志津代は目を上げてふじ乃を見た。

「そしたらね、辰之助さんの全く預り知らぬことだったのさ。大奥さんは私に話す時、これは辰之助に内緒にしておいてくれと言ったけどさ。わたしは、これはもしかしたら、辰之助さんがわたしにいやけがさして、親の口から言わせたのじゃないかと、勘ぐってもいたのさ。それで、辰之助さんは二重に怒ったわけさね」

「……………」

「その二つの中《うち》の一つはね、むろん親が、息子の自分には内緒に、わたしに身を退けと迫ったこと。もう一つは、もしかしたら、これは若旦那の指しがねではないかと、わたしがちらっとでも勘ぐったことさ。そうか、あんたはわたしをその程度の男かと思っていたのかって、本気であの人は怒ったよ。おっかさんはうれしかった」

ふじ乃はその時を思い出すように、軽く目をつぶって、小びんのほつれを掻《か》き上げた。文治は思わず吐息をついた。これが本当のふじ乃の姿なのだと思った。

「辰之助さんはね、わたしと別れるぐらいなら東京に帰る、何としてでもわたしと結婚したいと、親御さんたちにはっきりと言ってくれたんだよ。おっかさんびっくりしちゃってね」

今度は志津代が吐息をついて、

「それで、結婚の約束をしてしまったの」

つい問い詰める語調になった。

「それはまださ。大事な話は、とっくりと考えて返事をするもんだって、お前のお父っつぁんは、よくおっかさんに言って聞かせてくれたもんだからね。……お前たちの考えを、今日はゆっくり聞かせてもらおうと思ってね」

ふじ乃は茶をすすった。再び文治と志津代は顔を見合わせた。文治は難題だと思った。軽々しく、よいとか悪いとか、賛成だとか不賛成だとか、言えないような気がした。

「おっかさん、これはおっかさんの一生の一大事よね」

志津代が考え深い口調で言った。

「そりゃあそうだよ。一生の一大事だよ」

「おっかさん、おっかさんにとって一生の一大事ということは、わたしたちにとっても一生の一大事ということよね」

「そうなるわね。だからおっかさん、あんたたちに相談してるんだよ」

「新太郎の一生の一大事でもあるわね」

「それなんだよ、おっかさんが迷ってるのは。あの子はまだ一年生だからね。相談するわけにもいかないし。今なら、おっかさんの行くところなら、どこへでもついて来るけど、行ってからが面倒だよね」

「そうよ、おっかさん。おっかさんの一生はむろん大事にちがいないけど、新太郎の一生だって、大事な大事な一生だからね」

　二人の話を聞きながら、文治はやはり親子だと思った。文治はさまざまの気兼ねがあって、とても志津代のように切りこむことは出来ない。第一、もう四十になろうとするのに、なぜ操を立て通すことが出来ないのかと、責めたい思いが先に立つ。自分の母のキワは、僅か二十八で夫の長吉に死なれた。それ以来母は、人にうしろ指一本指される生き方はしていない。ところがふじ乃は、夫のある身で他の男と通じ、子供まで生んだ。今度は七つも八つも下の男との色恋沙汰である。ふじ乃はふじ乃なりの生き方かも知れないが、やはり心の底では、「自堕落な！」という思いがよぎるのは否めない。

　黙然としている文治に、ふじ乃が何か言おうとした時、志津代が言った。

「おっかさん、わたしおっかさんが、若旦那といい仲になったことは咎めないわよ。只ね、そういう仲になったって聞いた時から、一つ心配していたのは、齢が離れているということなの」

「そりゃあそうだろうね。わたしが五十になっても、向うは四十二か三、六十になっても五十二、三。おっかさんだって、それは思うわよ」

「思うでしょ、おっかさん。そりゃあね、今は若旦那は真実かも知れないわ。それに、おっかさんはまだ若くてきれいだし、誰だってわたしの姉さんだと、この辺りの人は思っているようよ。でも、わたし、娘だからはっきり言うわ。若旦那は文学好きの人だから、感情が豊かで、いつ、おっかさん以外の女の人に心を魅かれないとも、限らないと思うの」

「…………」

「その証拠に、あの若旦那が、奥さんのいる身で、人目も憚らずにおっかさんに傾いていったじゃないの。あの様子では、いつまた別の人に夢中になるか、わからない人だと思うわ。わたし、おっかさんが不幸になるのを見たくはないわ」

「なるほどね、わかったよ。おっかさんもよく考えてみる。でもね、言っておくけど、辰之助さんは、本当に真実な人だよ。わたしを裏切るなんて、おっかさんには考えられない」

ふじ乃は銀のかんざしで、髪の根元を疳性《かんしょう》にごしごしと掻《か》いた。と、ふじ乃の視線が、文治に向けられ、

「ね、文治さん、志津代の意見はわかったけど、あんたはどう思う?」

「は……大体、志津代と同じ気持ですが、おかあさんにはおかあさんのお考えがあるだろうと思って……」

文治は自信のない声で言った。ふじ乃は甲高く笑って、

「文治さん、あんた、心の中じゃ、呆れているんでしょ。俺のおふくろとは、ずいぶんとちがうもんだなあって」

「いいえ、そんな……」

「いいや、そう思うものよ。貞婦は二夫にまみえずってね。しかし文治さん、わたしは貞婦じゃないんだ。新太郎を生んだ女だからね。ああ、一体、どんな血がわたしに流れているんだろうね。われながらいやになってしまうよ」

「……」

「文治さんは男だから、もしかしたら浮気の一度や二度は、してるかも知れないよね」

「いや、ぼくには、そんな甲斐性はありません」

「おや、そうかい。じゃ、八重ちゃんとのことは……」

言いかけたふじ乃に、志津代が大きな声で、

「おっかさん、若旦那にいつまでに返事をするの」

と言った。

(八重ちゃんとのこと？)

文治はふじ乃と志津代の顔を等分に見た。ふじ乃が言った。

「向うは一日も早いほうがいいんだろうけど。ま、おっかさんもよく考えてから返事をするよ。あんたたちの願っていたようなことになるか、どうか、まだ自信はないけどね」

(八重ちゃんとのことって……もしかしたら……)

文治は、夏の日の八一旅館での一件を思い出した。が、今、それをここで弁明する時ではないと思った。

二

ふじ乃から、園田辰之助との問題が持ち出されて、三日が過ぎた。

（あと十日で今年も終りか）

思いながら、文治は二重マントに手を通した。社を出ると、夜空から小雪が降っていた。今夜は少し寒さがゆるむと思いながら、文治は空を見上げて立ちどまった。しばらく母の家に顔を出していない。あの夏の日、恭一に頼まれて、八重と布団部屋で話をして以来、毎日行っていた足が遠のいた。三日に一度となり、五日に一度となり、近頃では十日に一度も顔を出さない。八重は相変らず明るかったし、恭一の顔にも笑いが戻った。キワも、文治が行けばうれしそうに迎えてはくれる。八一旅館は文治にとって心地良い場所ではあった。が、やはり八重の存在が、文治の足を遠ざけた。恭一のためにも、八重のためにも、そのほうが無難でもあると思った。しかしその自分の心の中に、布団部屋で八重に首に抱きつかれた時の妖しいときめきがある。しかも、その場を新太郎に見られてしまった。新太郎の口からふじ乃や志津代に伝えられたなら、弁明しようとは思ってはいたが、まだ一年生の新太郎が、必ずしも妙に気をまわして告げるわけもあるまいと思ったりしてきた。

志津代の口からも、ふじ乃の口からも、この件について言われたことはない。なぜ八重と布団部屋にいたことを黙っていたか、それは恭一に秘密を守るように言われたからだ。文治は生真面目に恭一との約束を守ってきた。時には、不意に、志津代に語ってしまいたい思いに駆られたこともあったが、恭一は志津代にだけは言ってくれるなと、強く念を押した。別に隠そうとは思わなかったが、隠しごとをしている重苦しさは常に胸にあった。だが、誰の口からも出ぬままに、夏が去り、秋が過ぎ、年が暮れようとしている今、不意に、ふじ乃の口から妙な言葉が飛び出した。文治は男だから、もしかしたら浮気の一度や二度はしているかも知れない、と言うふじ乃に、そんな甲斐性はない、と答えた時、

「おや、そうかい。じゃ、八重ちゃんとのことは……」

と、思わず口走った形でふじ乃が言った。途端に志津代はおしかぶせるように、

「若旦那にいつまでに返事をするの」

と、ふじ乃に言った。あの志津代の大きな声は、何も知らない声ではない。としたら、ふじ乃と志津代は、八重と自分の間を疑っていることになる。それは一体いつからなのか。あの夏の日からか。そうかも知れない。文治はひどく孤独な気がした。志津代がこの自分を疑っている、それは夢にも思わなかった。が、あの日の自分と八重の姿を、新太郎がそのまま伝えたとしたら、それは疑われて無理のないことだ。とは思いながらも、なぜすぐ

聞いてくれなかったのか、と志津代を詰りたい思いにもなる。志津代が自分に聞かなかったのは、自分を信じてくれたためだとは思えない。三日前のあの大きな声が、雄弁にそれを物語っているような気がした。

(話せばわかってくれることなのだ)

証人は恭一である。疑われていると知っては、恭一もあくまで秘密を守れとは言うまい。そう思えるから、まだ安心もあった。それでも、濡れぎぬを妻の志津代に着せられたという淋しさは、依然として拭いようがなく、そして更に厳密に言えば、自分もまた只の男なのだという、八重への奇妙な感情を自分自身でも否めないことが口惜しい。一応の弁明は成り立つとしても、心の奥に解決のつかぬものがあるのを、文治自身も知っていた。そしてそれは、単に八重という女性への問題のみではなく、一般女性への問題であることも認めねばならなかった。

(お前は俺を疑ったのか)

と、志津代に堂々と問いただす資格は、本当は自分にもないことを、文治は思った。

(八一旅館に寄って行こうか)

それとも家に真っすぐ帰ろうか。あるいはどこかに酒を飲みに行こうか、文治は迷ったが、結局、足は家に向かった。通りに街灯はほとんどなく、産婆や医者や、大きな家の門灯が、僅かに道を照らしていた。人力車が時折「はいよっ」と、掛声をかけて追い抜いて行く。馬橇が鈴を鳴らして行き交う。日は暮れていても、さすがに師走だ。街はまだあわただしく動いていた。

きれいに雪の掃かれているわが家の玄関に立つと、文治はわれにもなく深い吐息をついた。愛する妻と紘治が待っていて、何の文句もない家庭なのに、何か不幸な人間のように自分は吐息をついていると、文治は苦笑しながら戸を開けた。つい先日つけた引戸の鈴がちりんちりんと鳴った。玄関に、男物の雪下駄があった。マントの雪を払っていると、新太郎が飛び出して来た。

「お兄ちゃん、おかえり、あのね……」

言いかけたところに志津代が顔を出した。

「お帰んなさい。お兄さんがいらしてるわ」

志津代は文治のマントを取った。優しい表情であり仕種だった。只それだけのことに、文治は安らぎを覚えて、

「兄貴が?」

と、問い返す声も元気だった。

「お帰んなさい。今日は早かったわね」

　ふじ乃が言い、紘治が文治の足に絡まった。

「只今。やあ、兄さん珍しいね」

　着替えもせずに、文治はストーブのそばにあぐらをかいた。

「うん。お前がこの頃顔を出さんから、どうしてるかと思ってな」

　と、ちょっとまじめな顔を見せ、

「ま、それは冗談だが、苫前《とままえ》の熊騒動は大変だったな」

　と、いきなり熊の話になった。内心、何の用事で来たのかと思っていた文治は、先《ま》ず熊の話が出たことで少し安心した。ふじ乃が、

「全くねえ。五百人もの人が銃を持って出かけたとか、北海タイムスに書いてあったねえ。たった一頭を倒すのに、五百人も出なければならなかったのかねえ」

　と言いながら、台所から七輪を運んで来た。

　苫前の熊騒動とは、今年の九日十日の両日にわたって、巨熊《おおぐま》が苫前村三毛別《さんけべつ》御料農地の人家を襲い、七人を喰《く》い殺し、三人に重傷を負わせた大事件である。苫幌の近くに起きた事件であった。恭一も文治も、ふじ乃も志津代も、よく知悉《ちしつ》した地域での事件だったから、昨日、二十日付の北海タイムスに、「巨熊遂に殪《たお》る」の報が入るまで、気が気ではなかった。旅館をしている恭一は、旅人からの噂話を聞いてはいたが、詳しく事実を知ったのは、山

形屋旅館を買い取ってくれた牧場主が、わざわざ旭川に出かけて来て、こと細かに語ってくれたからである。

「何しろ、佐藤さんにとっては、他人事《ひとごと》じゃなかったんですよ。もし、あの山形屋を買っていなかったら、佐藤さんたちが熊の犠牲になっていたかも知れないわけですからね。何でも佐藤さんのいた家の附近に熊が現れて、そこでもやられたそうですよ」

　恭一の言葉にみんながうなずいた、ふじ乃が、

「じゃ、山形屋様々だったわけだねえ」

「そういうことになるらしい。それでわざわざ、一部始終を知らせに来てくれたわけですよ」

　熊は身の丈二・七メートル、体重三百四十キロもの七、八歳の雄だった。事件は、先《ま》ず十二月九日、午前十時半頃に起きた。幼な子と、その家の主婦が炉端にいるところに、突如熊は窓を打ち破って乱入し、二人を殺した。

「佐藤さんの話じゃね。熊って奴は、火を恐れると聞いていたが、そりゃ嘘だってね」

「へえー、熊が来たら、燃えている薪をぬっと突きつけたら、逃げて行くって学校で習ったがな、兄さん」

「いやいや文治、とてもそんな生やさしいもんじゃなさそうだぞ。焚火は蹴散らす、ランプは叩き落す。その真っ暗な中で、がりもり骨を噛みくだく音が聞こえるというんだからなあ」

「わあ！　恐ろしい！　空缶を叩くと逃げて行くって、あれも嘘なの」

「いや、音には弱いらしいよ。但し、がんがん打ち鳴らせばの話で、少しぐらいの音になど、びくともせんわけさ。人が何人もいるところにさえ、板壁を破って入って来たというんだからなあ」

「おっかない！」

　傍で聞いていた新太郎が、ふじ乃にしがみついた。

「旭川の師団から軍隊まで出たそうじゃないか。それでもなかなか征伐出来ずに、とうとう熊撃ちの名人に退治してもらったんだってねえ」

　ふじ乃が、すき焼の煮立ってきた鍋から、手早く肉を取り分けながら言った。

「新太郎がおっかながるから、あんまり熊の話は出来ないな」

　志津代の注ぐ盃を受け、恭一がちょっと首をすくめた。ふじ乃が言った。

「かまいませんよ。新太郎は男の子ですからね。おっかない話はどんどん聞かせてやって下さいよ。この世にはどんな恐ろしい話があるか、新太郎だって知っていたほうがいいからね。ね、新太郎」

「いやだ」

　新太郎が言い放って、隣りの部屋に行ってしまった。恭一は声を低め、

「しかし、女というものは偉いものですよ」

と、一同の顔を見た。

「女が？　どうして？」

志津代が首をかしげた。

「今度の熊はね、最初食ったのが女の人でね、女に味をしめたのかな。女の内臓ばかり狙ったという話ですがね、襲われた中に妊娠中の人がいたんですよ。熊がその人の体に爪をかけて、部屋ん中を引きずりまわした。その人は、引きずられながら、『腹破らんでくれ！のど食ってくれ！』と、何度も何度も叫んだそうですよ。僅か三十四や五でね」

「偉いもんだねえ。でも、その腹の赤子も食われてしまったってねえ。残忍なもんだねえ、畜生って」

何しろふるさとのすぐ近くで起きた事件だけに、食べるよりも話が飛び交う。

「新ちゃん、新ちゃん、こっちへおいで」

志津代が襖をあけると、新太郎が、

「おれは熊だぞう！」

と、いきなり志津代の胸に打ってかかった。思わず志津代がよろけた。ふじ乃が、

「新太郎、馬鹿な真似するんじゃないの。お姉ちゃんが怪我をするじゃないか」

と叱った。新太郎は口を尖らせながら、

「おれ、熊になってやる」

と、ややすねたように言ったが、それでもおとなしく卓袱台《ちゃぶだい》のそばに坐った。志津代は、今、新太郎に打たれた痛みの意外に大きいのに、加減を知らない子供の恐ろしさを感じた。忘れかけていた新太郎の無気味さが思い出された。

「ほら、熊に会ったら、死んだ真似をすれって言うだろう。な、文治。今度の事件では、やっぱり、驚いて身動きも出来ずに寝ていた人は、二人共何の怪我もなかったという話だぞ」

「へえー、それは本当かい」

ひとしきり、話は死んだ真似がいいか悪いかになったが、ひょいと恭一が言った。

「ああ、そうそう。今日、東京の増野さんから手紙が来てね」

一瞬、誰もが黙った。が、ふじ乃が明るい声で言った。

「増野さん？　あの呉服行商の増野さんかい？」

わざと、さばさば言っているように文治には聞こえた。

「そうです。何でも、お内儀さんが半年ほど患って亡くなったのが、去年の暮だったそうですよ」

「ふうん、お内儀さんが亡くなったって」

ふじ乃の声が微妙に変わった。志津代の視線がちらりとふじ乃に走った。

「何か、胃腸が弱かったらしい。だんだん痩せて、痛んで痛んで亡くなったらしいですよ」

「それは気の毒にねえ」

文治はふっと、園田辰之助を思った。今、園田との間に、結婚の話が持ち上がっている。園田辰之助にどんな返事をするか、ふじ乃はまだ言わないが、妙な時に増野録郎の妻の死んだ話が出た。それにしても、何でそんな話をわざわざ恭一が言いに来たかと思った時、恭一が言った。

「増野さんがね、一年忌の法要も終ったから、年が明けたら北海道に行ってみたい、そう言っていたと、こちらさんに伝えて欲しいという手紙なんですよ」

「年が明けたら？」

黙っていた志津代が言った。

「ああ、年が明けてすぐか、雪が融けてからのことか、その辺りはわからないがね、それともう一つ、伝えて欲しいということなんだが、文治、北上さんが病気だそうだ」

「えっ⁉　北上さんが？」

これは素直に声が出た。

「胸の病いじゃないかって、増野さんは心配してきた。そう重くはないらしいが、寝たり起きたり、ぶらぶらしておられるそうだ。文治に会いたいって時々言っておられるそうだよ。手紙でも出したらどうかな」

文治は大きくうなずいた。ふじ乃と志津代は何か別なことを考えているようであった。

三

「いちごぉーや、いちごぉー」

　苺売りの声が、のどかに近づいて来る。寝ころんで新聞を読んでいた文治の視線が、ふっと止まった。

（そうか、もう苺の出る頃か）

　苺屋はたいてい大八車に苺の箱を積んでやって来る。時には天秤を担いだ苺屋も来ないではないが、大八車を曳きながら、時折立ちどまって、

「いちごぉーや、いちごぉー」

　と呼ばわる大八車の苺屋のほうが、なぜか人気がある。

「志津代、苺屋が来たね」

　畳の上に起き上がって、文治は台所に朝飯の用意をしている志津代に声をかけた。朝飯と言っても、文治の朝は十時を過ぎる。

「ああ、苺は今朝、朝市で買って来たわ」

　志津代の明るい声がした。

「そうか。朝市か。なるほど」

文治たちの家の近くに、六月から九月頃まで朝市が立つ。僅か一時間ばかりで、あっという間に終わる朝市だ。朝の遅い文治は、すぐ近くに住みながら、その朝市をほとんど見たことがない。

(そうだ、朝市も書きようによっては、記事になるんだな)

文治が思った時、開け放った玄関の式台に、

「郵便」

という声と共に、ぼとりと郵便物の投げこまれる音がした。

玄関に出た文治は、そこに分厚い封書を見た。達者な筆跡は、ふじ乃のそれであった。

「志津代、おかあさんから手紙だよ」

文治は叫ぶように告げた。

「あら、おっかさんから!?」

志津代の声が弾んだ。

ふじ乃が旭川《あさひかわ》を去ったのは、もう十年前の、松の内が過ぎたばかりの正月だった。

あの日志津代は、ふじ乃に言いつけられて街まで買物に出た。序《ついで》に八一旅館に寄って、夕方六時過ぎに家に帰った。が、ふじ乃と新太郎の姿がなく、もうすっかり火の消えたストー

ブの傍に置手紙があった。そこへ文治が珍しく早く帰って来て、共に手紙を読んだ。手紙には次のように書かれてあった。

「文治さん、志津代。

おっかさんは新太郎を連れて、増野さんと一緒に東京に行きます。二人に相談するのが本当だったかも知れませんが、賛成してくれないことは、大体見えていたので、おっかさんが一人で決めました。増野さんのお内儀さんになることに決めました。増野さんが、寒い北海道にわざわざやって来てくれたのは、おっかさんをお内儀さんにしたいからです。新太郎の父親として、新太郎と共に暮らしたいからです。あの人のお内儀さんが亡くなって、一年忌が過ぎました。それまでじっと待っていて、訪ねて来てくれたその気持を、おっかさんはありがたいと思います。

おっかさんは、辰之助さんとのことについて、迷っていました。半分は、情にほだされて、よほど一緒になろうと思ったけれど、どうしても、最後のふんぎりがつかなかった。それは、辰之助さんがわたしより七つも八つも若いということもあった。けれどね、それだけじゃない。辰之助さんに、心の底から一生を委《まか》せるほどの気持には、なってはいなかったのです。優しい人だけれど、そして真剣に考えてくれる人だけれど、おっかさんのほうで打ちこめるものが今一つ、欠けていたような気がします。それに、何より新太郎のことがありました。

そこに思いがけなく増野さんが現れた。おっかさんは、本当は増野さんが娘の時から嫌いじゃなかった。増野さんは太っ腹で、どこかちゃらんぽらんで、信用出来ないところがあるけれど、そのくせあの人と話していると、こっちの気持がのびのびとして、言いたいことを勝手に言える、そんな人なんです。つまり、あの人に会っている時は、おっかさんは生き生きとするんです。あの人のお内儀さんになって、おっかさんは幸せになれる、とは必ずしも思っていません。でも、おっかさんは賭事が好きだから、一か八か、賭けてみようと思います。ちゃんと挨拶して、一緒においしいものでも食べて、駅まで送ってもらって、じゃ元気でね、とか何とか言って別れてもよかったと、これを書きながら、思わないわけではないけれど、おっかさん泣くのいやだから……。それに、どうせそんなに簡単にことはすまないと思うから、家出の真似ごとをすることにしました。こうすれば、少々辛くとも、おめおめとは帰って来られないでしょう。落ちついたら、東京から手紙を出しましょう。おっかさんは子供じゃないから心配しないで下さい。紘治を大事にね。

さようなら」

あの時二人は、薪をストーブに入れるのも忘れて、ふじ乃の置手紙を繰り返し読んだ。

「おっかさんったら……」

志津代は涙をこぼした。が文治は、

（これでよかったのかも知れない）

と、ようやくストーブを焚きつけながら思った。同じ町内の醤油《しょうゆ》屋の若旦那と一緒になられるよりは、本来のふじ乃の生活に戻るような気がした。もともとふじ乃は、独り身を通せる女ではないような気がした。男と一緒になって働く女のような気がした。ふじ乃一人では、あまりに美し過ぎて、仕事らしい仕事も出来ずに終わるかも知れないのだ。苫幌の、あのカネナカの店に人々が集まったのは、単に買物のためばかりではなかった。夫婦喧嘩の愚痴も、貧乏の苦労話も、ふじ乃は親身になって聞いてやった。そして、それには必ず具体的行動を伴った。貧しい物には金や物を与え、夫婦仲の悪い者には、単刀直入な意見を与えた。そのきっぷのよさと美貌とが、村人の人気を集めた。

ところが、ふじ乃が一人になると、男も女もカネナカのお内儀の時のようには近づいては来なくなった。器量のよさが災《わざわい》して、却って近づき難くなってしまったらしい。夫がいないということで、男たちは変に固くなった。そんな中で、辰之助のように、異様に執心する者も現れた。ふじ乃が何か生かされていなかったと、文治は思う。

東京は大都会だ。いろいろな人材が集まっている。だが、自由の気の漲《みなぎ》っている東京こそ、ふじ乃の住むのにふさわしい所だと、文治には思われた。しかも、増野という仕事好きの男と一緒になれば、決して悪いことにはならないだろう。文治はそんな予感がした。

と同時に、俄かに呼吸が楽になったような気がしないでもなかった。ふじ乃の存在は、文治にとって、重苦しい存在であった。と言って嫌ったのではない。むしろ、志津代の母親でなければ、心魅かれる女になったかも知れない危険が、ないではなかった。湯上がりの匂う体で傍に坐られて、何か落ちつかなくなったことが幾度かあった。

ふじ乃が家を出る二日ほど前の夜だった。風呂から出たふじ乃と入れ替りに、志津代が風呂を使っていた。ストーブの傍に、文治は一人で将棋を並べていた。と、ふじ乃が言った。

「将棋って、おもしろいのかねえ。勝負事だから、おもしろいにはちがいないだろうけどさ」

「やって見ますか、おかあさん」

文治が顔を上げた。

「そうね。わたしは勝負事は何でも覚えておきたいよ」

ふじ乃の言葉に、文治は早速将棋を教える破目になった。

「へえー。歩は一桝しか動けないんだね。一歩前にしか行けないんだね」

「ほう、角というのは、そんな遠くまで斜めにすっ飛ぶのかい」

ふじ乃は一つ一つの駒の動きに深い興味を示して、二度と教えることなく、その動き方を覚えてしまった。内心文治は舌を巻いた。

(もしかしたら、俺の思っていたより、大きな器かも知れない)

そう思った時、ふじ乃が言った。

「おもしろいね、将棋って。明日また教えてね」

と、きれいな手つきで駒を文治のほうに返しながら、

「妙なことを聞いてもいいかい」

と言った。

「妙なこと？　何でしょう？」

文治はふじ乃を見た。湯上がりのふじ乃の桜色の頬がしっとりと美しかった。目がうるんで見えた。

「気を悪くしちゃいけないよ、文治さん。あんた、八重ちゃんのこと、どう思ってる？」

「八重ちゃんのこと？　どうって……どうも思ってやしません」

文治は以前にも、ふじ乃が妙なことを口にしたのを思いながら言った。何のことからであったか忘れたが、ふじ乃が、

「文治さんは男だから、もしかしたら浮気の一度や二度は、してるかも知れないよね」

と言い、その時、

「じゃ、八重ちゃんとのことは……」

と、ふじ乃が言った。その時はそのまま聞き流す形で終ったことだが、文治の心の中に

尾を引いていた。よほど志津代に、八重とのことをありのままに話してしまおうと思ったが、ことは別の方向に外れかねないという危惧もあって、打ち捨てていた。それから一ヵ月経たぬうちに、ふじ乃が再び八重のことを口にした。

「何とも思っていない？」

「思っているわけがないじゃありませんか。八重ちゃんは兄貴の細君ですよ。おかあさん」

馬鹿々々しいというように、文治は将棋の駒を箱に入れ始めた。と、ふじ乃は将棋盤を押しのけて、

「じゃ、聞くけどね、あんた、八重ちゃんとこうしていたことはなかったかい」

と、いきなり文治の首に両腕を絡ませた。

「おかあさん！」

驚く文治に、ふじ乃が声高く笑った。白いのどが美しかった。

「こんなことをしなかった？」

ふじ乃の腕がほどかれた。文治の胸は波立っていた。

「あります」

文治はきっぱりと言った。

「ある？　やっぱりねえ」

ふじ乃が大きくうなずいた。

「おかあさん、新太郎から聞いたんでしょう。これには訳があるんですよ」

「訳？　どんな訳さ。文治さんも男なんだから、この場に及んで逃げたりしないわね。さ、正直に言ってちょうだい」

文治は恭一との約束を思った。八重の、誰彼見境なく男の膝を叩いたり、ある時は抱きしめられたりする子供のような、無警戒な性格に恭一が悩んだことを、文治は諄々と語った。そして、八重が文治に諭されて、よく納得し、失礼な客には二度と来てもらわなくてもよいのだと言った時、あっという間もなく、八重が文治の首に抱きついたと話した。

「何だい、そんなことだったのかい」

ふじ乃は体をよじって笑い、

「あの娘らしいねえ。あの娘はそういう娘だよ。わたしもカネナカの店で、小僧や番頭と、いつも馴れ馴れしく話し合っているのを見たから、よくわかるよ」

と、うなずいてくれた。

風呂から上がった志津代に、ふじ乃はさっそくこの話をした。だが、志津代は、ふじ乃のようには笑わずに言った。

「どうしてそのことを、もっと早く話してくれなかったの？」

変に静かな声だった。

「どうしてって、話すほどのことじゃないし、兄貴が、八重のことは恥ずかしいから、誰にも話さないでくれって、何度も頼んでいたし……」

「…………」

「俺だって、八重ちゃんのような妙な女房を持ったら、なるべく誰にも知られないようにと、思うだろうしな」

文治は、恭一が特に志津代にだけは知られないようにと頼んだことは言わなかった。妙に心にかかる言葉だったからだ。その時、ふじ乃が言った。

「人間なんて、なかなか信じてもらえないように出来ているんだね。あんたたちみたいな仲のいい夫婦でも。……志津代はちょっと悩んだよね。わたしもね、へえー、文治さんやるんだなあと思ったしさ」

(志津代は俺を信じていなかったか)

そんなもんだろうと文治は思った。記者稼業をしていると、書いた記事が信ずるに足りないようなものでも、一旦活字になると、人々はどんなにその活字にふりまわされるか、文治は幾度も見て来た。もし新太郎が、志津代と誰かが抱き合っていたと告げたとしたら、やはり自分も志津代を疑うだろうと思った。

(信じられなくても……目くじらを立てることはないのだ)

思いながらも、文治は淋しさを拭えなかった。

ふじ乃の置手紙を読んだ時、ふじ乃が八重のことを問いただしたのは、家を出る覚悟が出来た上でのことだったと気づいた。

ひと昔

ひと昔

一

あれから、もう十年になる。

増野録郎に走ったふじ乃からは、しばらく手紙は来なかった。恭一のところに、増野から手紙が来ていたことを思い出して、その住所に宛てて志津代が手紙を出した。

――突然のことで、おっかさんと新太郎が東京に行ってからは、二、三日物を食べる気力もなかった。生まれてから二十一になるまで、私はおっかさんと離れたことは一度もなかった。お父っつぁんは死に、おっかさんと弟の新太郎に別れてしまっては、孤児のような淋しい思いに、只泣いてばかりいる。突然死なれても、これほど淋しい思いをするのだろうか。死ぬのは寿命だから仕方ないとしても、この世のどこかにおっかさんはいるというのに、どこにいるのか、会うこともならない。相談はしてくれなくてもいいから、せめてさよならだけは言って欲しかった。娘が家出をするのは時折聞くけど、おっかさんが実の娘を捨てて家出するなんて、わたしはこの齢まで聞いたことがない。恨めしいやら口惜しいやら、腹立たしいやら辛いやら、死にたくなるほど淋しいやらの毎日だった。でも、おっかさんが幸せになるのならと思い直して、心から新しい生活をお祝いしたい。ほんの少しだが、心ばかりの餞別《せんべつ》を送る――

そんなことを長々と書いて、志津代は出したのだった。それに対する返事はなかったが、半月ほど経って、小包が送られて来た。二重ねの立派な重箱だった。重箱の底に「内祝増野家」と書かれてあったのには、志津代も文治も意外な思いがした。それどころか、紋付と留袖姿の二人の記念写真が添えられてあった。

「よかったじゃないか」

文治が写真と重箱を見て、しみじみと言った。

「何だか、おかしいわ」

志津代が少し笑った。

「なぜだい?」

「だって、家出したおっかさんが……こんな立派な記念写真や重箱なんて……」

「増野さんという人は、本気だったんだよ。もしかしたら、おかあさんの娘時代から、増野さんは思いつづけていたのじゃないのかな」

「としたら、きれいなお話ね」

志津代は、仏壇のある奥の間のほうに目をやった。襖に隔てられて仏壇は見えないが、この写真を、父の順平も見ているような気がした。もしかして順平が、思い思われた二人の間を知らずに、結婚してしまったのではないかと、文治は文治で思っていた。

「お父っつぁんが可哀想な気がするわ」

「いや、安心しているかも知れないよ」

文治は志津代の言葉に優しく言った。

「じゃ、わたしがおっかさんみたいなことをしたら、あんたどうする？」

「いや、志津代に、おっかさんの真似は出来ないよ」

二人の気持がぴたりと合ったような気がした。

その後、また半月ほどして、今度は増野から手紙が来た。

――二人からふじ乃を取り上げた形になったのは申し訳はない。しかし、浮いた気持でこうなったわけではないのだから、許して頂きたい。志津代さんにとって、ふじ乃は母親であることは、東京に出て来たからと言って変わる筈がない。もし許して頂けるなら、この自分を父親と思っては頂けまいか。とにかく、ふじ乃さんを不幸にするような真似は、決してしない――

そんな意味の、長くはないが心のこもった手紙だった。その手紙のあとに、ふじ乃の筆跡で、

「増野ふじ乃という名前は語呂合せみたいで、わたしは気に入らない」

と、冗談が書かれてあった。増野との手紙にこんな二、三行を書き加えたふじ乃が、いかにも伸び伸びと生きているように思われて、志津代も文治も安心した。

「だけど、二人共新太郎のことを書いてはいないわ。新太郎、可愛がってもらえるかしら。それに、わたし、新しいお父っつぁんはいらないわ。仏壇の中のお父っつぁんだけで、充分だわ」

志津代は少しむきになって言った。

「志津代、そう思うだろうなあ」

「そりゃあそうよ。本当の親にまさる親はないんだもの」

「となると、おかあさんも苦労するな。増野さんの長男は二十だろう。下二人は十八と十六の娘だというから、死んだお母さんがいいにきまってる。新しいお母さんなんかいらないって、たてついているだろうなあ」

言われて志津代は、母の立場を改めて思った。母に死なれて一年ちょっとの息子や娘たちは、どんな思いでふじ乃と暮していることだろう。わけても新太郎が微妙な立場に立たされていると、今更のように気づいたのだった。新しい母の連れ子が、実は自分たちの父の実子と知っては、家の中が険悪になるのが目に見えている。

「おっかさん、それもこれも承知の上で行ったのかしら」

そんなことを二人で話し合ったものだった。

ふじ乃のことが心配で、東京に出て見る気になったのは、その年大正五年の十月であった。折よくか、折悪しくか、文治の勤める新聞社が、近くA新聞に統合されるという話が出、休刊になった。その新聞社に文治は行くとも行かないとも、決めかねていた。記者稼業をやめてもいいような気もしていた。記者になる前は、自分さえ姿勢を正して生きていれば、書くべきことを書き、書いてならぬことは書かずにすむと思っていたが、それは少年の抱く理想論にしか過ぎないことを、しばしば文治は思い知らされてきた。少なくとも、度々広告主として金を出してくれる者には、批判的な言葉を弄することは出来なかった。社会主義の立場に立って、不正を告発するということが文治の願いだったが、政府のすることには、見て見ぬふりをするのが常識であった。

(もし新聞社で飯を食うとしたら、広告取のほうが気分が楽かも知れない)

そうも思ったりした。他の職に転じてもいいとさえ考えていたから、ここで一ヵ月休みを取って東京に出かけるか、一旦辞表を出して出かけるほうがいいか、文治は編集長に相談してみた。

「辞表? 辞表などいつでもいいや。ま、辞めるか辞めないかは、旅行中の宿題だな」

編集長は文治に目をかけていた。自分と共に、A社に勤めることを期待しているようだった。とにかく人員の整理や、残務の整理の間、文治は休むことにした。

志津代と文治は、上野の駅前に宿を取り、翌日紘治の手を引いて、目黒に北上宏明の家を訪ねた。胸を病んでいるらしい北上が、文治に会いたいと時々言っていることを、最初に聞いたのは、その前の年の十二月のことだった。増野から恭一への手紙によって知らされたのだ。文治としても北上には会いたかった。胸の病いらしいということで、なおのこと北上の身の上が気づかわれた。文治にとって、北上は父の長吉を思わせる人物だった。いや、それより先に、北上は父の恩人であった。空知監獄の思想犯であった長吉は、脱獄して三笠のキリスト教会に救いを求めた。そこで留守を守っていた信者が北上で、その北上に守られて、長吉は無事逃亡することが出来たのだった。長吉の死後、この北上が苫幌に訪ねて来、戸籍上私生児の恭一たち三人のために、認知の形を取ってくれたのである。しかもその上、文治を東京に招き、北上の屋敷に引取り、夜学に通わせてくれた。

東京から帰って久しいが、その間北上のことを忘れた日はない。その北上が病気になって、文治に会いたいと言っていることを聞いては、すぐにも会いに行きたかった。だが、旭川から東京まで二昼夜はかかる。社の仕事を放り出すことも出来なかった。そのうちに、北上の病状が快方に向ったと聞いてひと安心したこともあり、上京の願いは実現に至らなかった。

　久しぶりに見る目黒不動の境内は、まるで昨日のように変わっていなかった。澄んだ池の水も、木立の茂りも、護摩を焚く煙も、二十段はある階段も、北上の伴をして、毎朝散歩した頃と、何の変わりもなかった。

「先ずここで、北上さんのお体のことをお祈りして行きましょうね」

　志津代は堂の前にひざまずいて、白いうなじを見せ、長いこと何か祈っていた。そんな志津代を、文治はしみじみ愛しいと思った。真心のある女だと思った。が、この辺りを北上と幾度散歩したかわからないが、北上がこの堂の前で手を合わせている姿を見たことがないと思った。北上の手を合わさぬ不動明王に、志津代が長々と祈ったことが、何となくおかしくもあった。

「長いお祈りだったな。何を祈った？」

「あのね、先ず北上さんの病気のことでしょ。おっかさんと新太郎の幸せのことでしょ。紘治のこれからの一生のことでしょ。それから……」

　志津代はちょっと文治を見つめてから、

「あなたのお仕事のことも、祈ったの。そのほかいろいろと……」

　文治は自分の心にかかっていることを、志津代も心にかけているのかとうれしかったが、

「ずいぶんと、たくさんのことをお願いしたね。それでお賽銭はいくら上げたの」

「一銭よ」

「たった一銭で、何とたくさんのことを祈ったものだね。欲張りだなあ」

二人は顔を見合わせて笑った。紘治は笑う二人を見上げて、小さな手をぱちぱちと叩いた。

目黒不動のすぐ近くにある北上の家を訪れると、北上は喜んで三人を迎えた。ほとんど病気とは見えぬ顔色に、文治は安心した。

「いい細君じゃないか。こんな人がいたんでは、苫幌に帰ってしまったのも無理のない話だ」

初対面の志津代を見て、北上は文治をひやかした。紘治がなぜか、その北上のそばに行って、ちょこんと坐った。

「坊や、いくつかね」

「紘治は、一昨年の五月に生まれました」

文治が答えた。

「こっちへいらっしゃい、お邪魔ですよ」

志津代が呼んでも、紘治は北上のそばから離れようとしない。

「もう病気が治ったから、抱いてもいいね」

北上は紘治を膝の上に置いた。

「紘治、この人はね、お前のおじいちゃんの命の恩人だぞ」

文治の言葉に、わかってかわからないでか、紘治は大きくうなずいて、

「おんじん?」

と答えた。北上は上機嫌だった。

翌朝午後、三人は築地にあるふじ乃の家を訪ねた。北上の屋敷ほど広くはなかったが、それでも部屋の五つ六つはある、黒塀を回した小粋な家だった。ふじ乃の話では、毎日楽しく暮していることだったが、初めて訪ねる文治と志津代の気持は重かった。増野はともかく、二十の息子、十八と十六の娘たちに合うのは気が進まなかった。予め訪問のことは知らせてあったが、門の前に新太郎が待っていて、

「おねえちゃん!」

と、志津代に飛びついてきたのには、さすがに胸に応えた。が、いち早く玄関に飛び出して来たのは、増野の息子や娘たちであった。

「おかあさん、おかあさん、お姉さんお兄さんがお見えだよ」

奥に向って叫びながら、紘治の手を引く。二人に親しげな笑顔を見せて挨拶する。何か裏切られたような心地だった。

「おや、何だね、騒々しい」

と、息子たちを叱ってから、

「待ってたよ」

と、式台に立ったふじ乃の姿は、もうこの家に、幾年も前から暮している母親の姿であった。増野はよんどころのない用事で夕方までは帰らないとのことだったが、一にも「おかあさん」二にも」「おかあさん」と、ふじ乃に屈託なく話しかける息子や娘たちの様子を見て、志津代は次第に奇妙な心地になっていった。そうであって欲しいと願っていた姿そのままなのに、自分の大事な母親を取られたような、淋しい心地が胸をかすめる。これが黙って家を出て行ったその後の母の姿だと思うと、喜ぶべきだと思いながら、もっと不幸せであってもよかったような、複雑な気持がする。その思いが、夕刻になって増野が帰って来た時に、一段と強くなった。増野とふじ乃は、二十年も連れ添ったような夫婦に見える。新太郎を入れて四人の子供が、二人の間に生まれたように見えるから不思議だった。

「東京まで来て、親の家に泊らないという法があるものかね」

叱られて、無理矢理泊ってはみたものの、自分たちがよそ者のような心地がして、どうにも落ちつかなかった。それでも、宮城やら、銀座やら、浅草の仲見世などに案内されて、東京を引揚げたのは十日ほど後だった。

それ以来今日までの十年、東京に行ったことはない。東京からも、増野が一度来ただけで、ふじ乃は一度も来たことがなかった。ふじ乃と別れて知ったのは、ふじ乃が意外に筆まめなことであった。その後のなりゆきは、ふじ乃の手紙で知ることが出来たが、この十年ほどの間に、ふじ乃は増野の妻としてというより、呉服商「増善」の女将として大きな働きをした。以前増野が言ったとおり、確かにそこにふじ乃がいるだけで、「増善」の店は、他の店とちがった雰囲気をかもし出した。吸われるように人々が集まるのだ。きれいどころといわれる新橋や赤坂の芸者たちが、後を絶たなかったし、その芸者たちから噂を聞いた客たちが、いい客筋となった。「増善」の名は、婦人雑誌に出ることもあって、ある時は銀座の女将たちの一人に、ふじ乃の写真が出たこともあった。

ふじ乃が東京に出て五年目に、増野は料亭の経営を始めた。むろん、ふじ乃が女将である。ちょうど隣りの古家が売りに出て、そこに料亭を始めることになったが、もともと人を恐れることを知らないふじ乃の気性だったから、料亭の仕事は呉服商よりも肌に合ったらしい。政財界の大物たちも、ぽつぽつ顔を見せるようになり、料亭「ふじ乃」と、呉服商「増善」は、不況の中で、他から訝られるほどに繁昌していった。

その間娘たち二人も次々に嫁ぎ、息子も会社勤めとなって結婚し、新太郎だけが、ふじ乃と共に家に残った。時折、「あの子は一体、将来何になるつもりなのかねえ」とか、「新太郎には北海道のほうが、水に合っていたかも知れない」などとあるふじ乃の手紙の端々に、ふじ乃が新太郎に抱いているある種の危惧を、何となく感ずることはあった。

よいことばかりがつづいているようなふじ乃の生活に、突如災難がふりかかった。大正十二年九月一日の関東大震災がそれである。全半壊家屋二十五万四千四百九十九戸、焼失家屋四十四万七千百二十八戸、死者行方不明十四万二千八百七人、負傷者十万三千七百三十三人、と言われた大震災だから、災難は増野家だけではなかった。只幸いなことに、増野の店は月の一日と十五日を休みとしていて、この日は長女の嫁入り先茨城まで、一家で遊びに行っていたから、怪我ひとつせずにすんだ。

大震災から三年が過ぎた今、打撃を受けた商売もどうやら一息つけるところまでこぎつけたようだった。

苺売りの声が不意に止んだ。いつもより分厚いふじ乃の封書に、ふと不安を感じながら、文治は手紙を読んでいる志津代の横顔に目をやった。

二

ふじ乃からの手紙を、先程から息をつめるようにして読んでいた志津代が、ようやく顔を上げて、ほおっと吐息をついた。苺売りの声は次第に遠ざかって行く。

「何か変わったことでも起きたのかい」

と、文治が優しく尋ねた。いつもなら、読み終ったらすぐに見せてくれる志津代が、只吐息をついて、手紙を膝に置いたままだ。文治の言葉に、志津代はもう一度大きく吐息をついて、

「……あまり心配しないで読んでみて」

と、ふじ乃の手紙を手渡した。

「心配しないで？　読んでもいいのか？」

一瞬、増野とふじ乃の間がこじれたのかと思った。

「心配をかけたくないけど、読んでみてちょうだい」

文治はうなずいて手紙に目を走らせた。伸び伸びとした気持のよいふじ乃の字だった。

「文治さん、志津代、元気で暮しておりますか。人間、五十年も生きていると、いろいろな

目に遭うものだわねえ。今日の手紙は、あまりよい手紙ではありません。

実はね、新太郎が二、三日前家出をしたのよ。新太郎が家を出るというのは、そう珍しいことではないの。東京に来てから一年も経たぬ中に、あの子は時々、一人でぽっといなくなったのよ。あの頃はまだ小学校の二、三年の頃だから、いなくなるといっても、電車に乗って遠くまで行くとか、行ったことのない街のほうに、自分勝手に足を向けるとか、そんな程度だったのよね。

わたしが心配して口やかましく叱ると、増野が気の大きい人でしょう、

『まあいいじゃないか。冒険心を持つのは、男の世界じゃほめられることだ』

なんて、むしろけしかけるようなことを言ったりね。放浪癖というのかね、一日二日いなくなるということも、時にはあったわけだけど、今度みたいに、書置きして出たのは初めてでね。書置きには、

『どこか遠くへ行きたいと思います。二十になって、兵隊検査を受けて、兵隊にとられるのは、あんまりありがたくないからな。何年かしたら帰って来ます。少しお金をもらって行きます。そんなに心配しないでください』

とあって、ちょっとわたしも参ってしまった。もしかして、北海道に顔を出すかも知れないと、かすかな希望のようなものを持って、この手紙を書きました。でも、多分あの子

は、旭川には戻るまいという気もします。人間二十にもなれば、親もとを離れても、おかしくない年頃です。そうは言っても、親から見れば、子供というものは、いつまで経っても、言葉は悪いけど『餓鬼』だものねえ。

考えてみれば、志津代だって三十一にもなるんだから立派な大人だけど、わたしには十七、八にしか思えない。勝手に東京に出て来たわたしが、これでも志津代たちのことを心配しているんだからねえ。笑わせるでしょうけれど、これが親というものですよ。

それはともかく、新太郎のことも、どのくらい心配するのが本当なのか、わからないけれど、ひょっとして、何も心配は要らないんじゃないかって、思ったり思わなかったり……。あの子の性格はあんたたちも知ってのとおり、わがままいっぱいだから、この家に来てからも、そのわがままで苦労しました。わたしも、そして新太郎自身も。でも、本当の父親ってありがたいもんだねえ。増野は、きびしいところはきびしく、ゆるめるところはゆるめてくれて、新太郎のわがままも少しずつよくはなっていたんですよ。

小さい時には、ほら、『舟を買って』だの、『鳥居を買って』だのと、途方もないことを言っていたのを覚えているだろうね。東京に来てからは、さすがにそんなことは言わなくなったけれど。でも、一度しみこんだわがままは、おいそれとは直せないものだね。志津代たちには黙っていたけど、あの子は中学校を途中で退学したのよ。

それでも、三年生までは人並にまじめに通った。四年生になってから時々休むようになり、更には休むほうが多くなり、五年の一学期をどれほども行かずに、勝手にやめてしまったのよ。人間それぞれ、向き不向きがあるらしい。あの子は勉強には向いていなかったんだね。でも、庖丁を持つのが好きらしく、いつも店の板場に行っては、板前の仕事を手伝っていてね。それがまた、口うるさい板前にも筋がいいとほめられる腕で……。

本人がそれほど好きなら、行く行くは『ふじ乃』の板前にしてやろうと、増野も学校のずる休みは、ま、大目に見ていたこともあって、とうとう中途退学ということになったわけだけど、あと一年の辛抱なのにと、わたしはちょっと不満だった。

それにしても、あの子は一体どこに行ったのかねえ。どうせ働く場は庖丁を使うところだろうから、食べるに困るまいと思いながらも、さすがのわたしも弱気になってしまってね。ね、文治さん、男が子供を可愛がるのと、女が子供を可愛がるのとでは、ずいぶんとちがうような気がするんだけど、どんなものかねえ。母親というものは、理屈ぬきでわが子が可愛い。でも父親ってのは、一日のうち、大方は子供のことなど忘れて生きていける。そんな気がするんだよ。

増野と新太郎は実の親子だけれど、親子でも離れて暮していると、どこかに溝が出来るんだねえ。ずいぶんと可愛がっているようで、どこか打ち解けていない。増野と新太郎の関係は、親身というより、義理の仲のようにわたしには見えるの。もしかしたら、新太郎の家出は、兵役なんかに関係はなく、そんな、超えられない溝みたいなものに原因があるのじゃないかと思ったり……。

それやこれや考えていると、結局はおっかさんのわたしが悪かった、そんなふうに自分が責められてならないのさ。五十にもなってから、わたしが悪うございました、なんて言ってみても仕方のない話だけど、生きているということは、全くの話、『わたしが悪うございました』だわねえ。

それにしても、検査を前にして、息子が行方不明になりましたでは、申しひらきも出来ないことだから、わたしの心配は何倍にもなるわけ。あの子がそんな考えを持つようになったのは、もしかしたら、北上さんのお邸にちょくちょく出入りしていたからではないかと、今になって思い当るのだけども、これは言っても仕方のないことだわね。北上さんという人は、わたしは好きなんだよ。文治さんのお父っつぁんの長吉さんを助けてくれた、命の恩人よね。新太郎はその北上さんの前に行くと、妙に素直になるらしく、帰って来ては、北上さんがああ言っていたとか、こう言っていたとか、よく話してくれたものだった。その北上さんが、

『兵隊に行くのは考えものだな』とか、

らしいの。

『世界の地図に国境はあっても、人間の気持に境界線は引けない』などと言ったりしていたま、何が何だかわからないけれど、新太郎は出て行きました。万一、そちらに顔を出すことがあれば、電報を打って欲しい。すぐにわたしが迎えに行くから。いやな話を聞かせてすまなかったわね。

紘ちゃんは今年六年生だったね。紗知代は二年生だったかね、三千代はさぞ可愛い盛りだろう。十勝岳爆発の名残りはもうすっかりおさまったかしらね。泥流で流された人のことを思ったら、いい若い者が家を出たことぐらい、びくしゃくすることはないわね。

増野もよろしく言っています。増野は、

『人間駄目になる者は、どこにいても駄目になる。ものになる者は、どこにいてもものになる』と言っているけれど、内心わたしより心配しているようです。

八一旅館の皆さんにもよろしく。但し兵隊逃れ云々は、二人だけの胸にとどめておいて下さい」

読み終って文治は、志津代の顔を見た。志津代は不安そうに文治を見返した。ちょっと考えてから文治は言った。

「心配するな、死ぬわけじゃない」

「そうかしら、大丈夫かしら」

「兵隊に行くのがいやで家を出たのなら、死にたくないということさ。一人前の仕事が出来るなら、庖丁一本で充分に食っていけるさ」

「そうかしら」

「そうだよ。心配することはないよ。新ちゃんは、どっちかと言えばしぶとい人間だからね」

「でも……あんなふうな子って、意外ともろいところもあるんじゃない？　わたしには、新太郎って、本当は淋しがり屋に思われてならないの」

「うん……甘えっ子のところがあるからな」

「そうなのよ。旭川にいた時は、おっかさんやわたしたちにかわいがられていたでしょ。つまり、一身に愛を受けていたって感じだったわね」

「まあな」

「あとから生まれた紘治にやきもちをやいて、タオルをかぶせたり、ショールをかけたりして、いやな子だと思ったこともあったけど、あれは淋しかったのよね」

「なるほど、淋しかったんだろうな」

そればかりではないだろうとは思ったが、志津代の弟の話である。文治は立ち入らないように、受身に受身に答えて行く。

「ところが、東京に行ったら、自分だけおっかさんにかわいがってもらうわけにはいかなくなったのよね。増野さんがいる、増野さんの子供がいる、おっかさんだって、一にも新太郎、二にも新太郎というわけにはいかなくなったと思うわ」

「そりゃあそうだ。しかし、増野さんや、義理のきょうだいたちが、かわいがってくれただろう」

「むろんかわいがってくれただろうけど、新太郎としては、おっかさんにだけかわいがって欲しかったのよ、きっと」

「なるほど」

「中学を中途退学したのだって、時々家を出たり入ったりしたのだって、今度のことだって、おっかさんの注意を自分に集めておきたかったんじゃない?」

「……そうかなあ」

そうかも知れないと、うなずきながら文治は答えた。

「結局はあの子って、淋しがり屋なのね、甘ったれなのね、いやになっちゃうわ。あの子って、何となく人に不安をかき立てるようなところがあって……」

志津代の声がくもった。

「そんなことはないさ。新ちゃんて、明るい子だよ。少し甘えっ子なだけだ」

不意に文治は、八一旅館の布団部屋を思い出した。十年以上前の話だ。人の体に触れる癖のある嫂の八重が、文治の首っ玉に飛びついたその瞬間をじっと見ていた新太郎の視線を思い出したのだ。あの視線は、断じて子供の視線ではなかった。あれが新太郎の本質のように、文治は時折思うことがある。

「おかあちゃん。金魚屋さんにいってもいい?」

開け放った玄関の三和土《たたき》に、小さな足音がして、末娘の三千代の愛らしい声がした。

「金魚屋さんに?」

志津代が母の声になって立って行った。文治も浴衣に懐手をしたまま、志津代のあとにつづいた。

「あ、おとうちゃんだ」

うれしそうに、三千代が声を上げて、上がって来た。この間買ってやったばかりの赤い下駄がハの字に脱ぎちらされた。

「おとうちゃん、かいしゃは?」

上に六年生の紘治と二年生の紗知代がいるせいか、三千代は四歳と思えぬ明晰な言葉づかいだ。

「会社は、今日はお昼からだよ」

三千代を抱き上げて、茶の間に戻った文治の声音も優しい。紗知代も三千代も文治に似ている。というより、キワに似ている。賢そうな目、血色のいい小さな唇が、わけても文治には替え難いものに思われる。親子の情愛というものが、今、ふじ乃の手紙を読んだ身には、思いしらされるような気がした。みんなこのように、親の目からは何ものにも替え難い存在として、掛値なしの愛をたっぷりと注がれて育つのだ。その子が親もとを離れて家を出るなどというのは、やはり、人には言えない大きな傷を負っているからにちがいないと、ふっと新太郎が哀れにもなった。

「ねえ、金魚屋さんにいってもいい?」

金魚屋は、五十メートルほど先の、四条通りを横切ると、角から二軒目にあった。縦横二メートル、高さ一メートルほどの大きな水槽があって、大小の金魚が青い藻の中を泳いでいる。三千代はその金魚屋に、金魚を見に行くのが、毎日の楽しみなのだ。いつも打ち水のしてある店の内外は清潔で、子供たちが集まりたくなる店だった。

「行ってもいいけど、通りを越える時、馬車に気をつけるのよ」

志津代が、文治の朝食を茶の間に運びながら言った。

「うん、だいじょうぶ」

三千代がにこっと笑って、文治の耳に小さな顔を寄せ、

「いってきますからね、泣かないで、まっててね」

　と、これは志津代の口真似だ。文治は笑って、

「行っておいで」

　と、三千代を膝からおろした。

「新太郎も、ついこの間までは小さかったのにねえ」

　飯びつの蓋をあけ、茶碗に飯を盛りつけながら、志津代が言う。

「ま、あんまり心配しないことだな。案じても詮《せん》ないことだし……。人間の心配なんて、大体は杞憂というやつさ」

人妻

人妻

一

文治はセルの袂に手帳と万年筆を入れて、ぶらりと新聞社を出た。最初に勤めた新聞社がA社に統合されたのは、もう十年前になる。よほど退社をしようかと考えていた文治だったが、キワが反対した。

「仕事というものは、そうそう取り替えるもんじゃないと、母さんは思うよ。ほかの人の仕事はよく見えるもんです。でも、よく見える仕事につけば、また辛いもんですよ」

「そりゃあそうかも知れないけど、しかし、向かない仕事と、向く仕事があるんじゃないのかなあ」

「あるかも知れないけれど、人間は好き嫌いだけで、ものを決めていってはいけないと、母さんは思いますよ。どうしてもというのなら、とめはしないけど」

考え深いキワの言葉であるだけに、文治は聞き流しには出来なかった。そして、編集長と共に移った新聞社は、前の社とは少し様子がちがっていた。新聞社としての権威があった。かなり言いにくいことを、ずばりと書く主筆がいた。

以来、今日まで、文治は時折問題を感じながらも、記者生活をつづけている。

午後四時、日はまだ高かった。薄雲が出ていて、昨日よりは凌ぎやすい。旭川にしてはめずらしく風もある。何の記事を取るという当てはなかった。食中毒の話でも聞こうかと、時々出入りしている沼崎病院のほうに足を向けた。と、

「文治さーん」

と呼ぶ女の声がした。ふり返るまでもない、八重の声だ。

「文治さーんったら、文治さーん」

他を憚《はばか》らぬ大きな声に、文治はふり返った。日傘を持った八重が駆けて来る。紺の浴衣の裾が乱れて、白い脛《すね》がちらちらとのぞく。

「文治さんったら、何を考えて歩いているの。いくら呼んでも知らんふりをして」

ガーゼのハンカチで、小鼻の汗をおさえながら、八重はすねたように言った。どうしたわけか、恭一と八重の間には、まだ子供が生まれない。そのせいか、八重の体の線が少女のようであった。

「嫂《ねえ》さん、どこへ行って来たんです?」

胸に抱えている風呂敷包みをちらりと見て文治が言った。

「ちょっと、仕立屋さんに丹前を頼んで来たの。秋になったら、丹前はどうしても縫い替え

なきゃね」

八一旅館は、その後十室ほど客室を増している。旭川《あさひかわ》の人口も、旅館を始めた頃からみると、ずいぶんと増えている。

「母さんは元気かな」

文治はこの数日、八一旅館に顔を出していない。

「元気よ、お母さんは。それよりさ、珍しい人が来たのよ。誰だと思う?」

「珍しい人?」

「ええ、当ててごらんなさいよ」

八重は子供の頃と同じ表情で言う。珍しい人と聞いて文治の胸がとどろいた。

「新太郎だね!」

「新ちゃん? ちがうわよ。そう言えば、新ちゃんから二、三日前葉書が来てたわ」

「どんな葉書?」

「いいから、それより当ててごらんなさいよ」

新太郎でなければ誰でもよかった。

「わからないなあ」

「降参?」

うれしそうに八重が言った。二人の横を空の人力車が二台つづいて過ぎた。

「うん、降参だ」

「じゃ、教えてあげるわ。哲三さんよ」

文治の反応を見るように、八重はちょっとあごを引いて文治を見つめた。

「ほう、哲三の出不精が……それは珍しい」

哲三は今年の正月、四、五日ほどキワのもとに帰って来た。ほとんど一年に一度帰ればよいほうで、滅多に手紙も来ない。

「出張かね」

二人はいつの間にか歩き出していた。

「ううん、哲三さんね、お嫁さんをもらうらしいわ」

と、急に声をひそめ、

「女の人も一緒なの」

と、ささやくように言った。大通りの真ん中で、誰に聞こえるわけでもないのに、不意に声をひそめる八重を、文治は可愛いと思った。

「そうか。哲三の奴、ようやくもらう気になったか」

哲三は今年、三十一になる。北海道庁の給仕をしながら夜間中学を卒業した。これは、貧しい少年たちの登竜門であって、官吏になる最も近い道筋だった。哲三は文治に顔立ちも性格も似ていて真面目であった。今まで、キワも恭一も文治も、それぞれに哲三の結婚について心配をして来たが、哲三はその度に、もう少し独りでいたいと言って縁談を断って来た。理由は「世帯を持っては勉強が出来ない」ということだった。三十を過ぎて男が一人でいるのは目障りだと、恭一はやきもきしていたが、哲三はいっこうに耳を傾けるふうがなかった。その哲三が、今日不意に、キワと恭一の前に女と共に現れたというのである。

「先に行く」

文治は急ぎ足になった。

「まあ！　ひどい」

八重はちょっと体をくねらせたが、それでも追っては来なかった。夫婦でも、肩を並べて歩いていると、警官から不審尋問をくらうことを、八重だって心得ている。

文治はいつものように、八一旅館の裏口から入って行った。下働きのイセがポンプを押す手をとめて、

「おや、文治さん、今頃珍しいですね」

と、声をかけた。いつも文治の来るのは、一時から二時の間だった。旅館の忙しい四時頃に顔を出すことは、滅多にない。

「やあ、小母さん精が出るね。哲三が来ていると聞いたが……」

　台所にも茶の間にも、誰の姿も見えなかった。

「あ、竹の間ですよ」

　竹の間は、新しく出来た一階の一番奥の部屋である。

「兄貴やおふくろは？」

「ご一緒です」

　イセは、さみどりのさやえんどうを洗い桶にどっぷりつけながら、

「冷たい麦茶でも一杯いかがですか」

　と言ったが、

「いいよ、いいよ、邪魔をしちゃ悪い」

　と、文治は廊下を竹の間に急いだ。が、途中で文治は立ちどまった。哲三がやって来て竹の間に通すということはないことだった。むろん、相手の女性を連れて来たということで、一応は客扱いにしたのかも知れない。しかし、その竹の間に、キワや恭一まで、この忙しい時間に一緒になっているというのは、どうも解せない。まだ客の姿は少ないが、六時には膳を出さねばならぬ客が幾人もいる筈だ。

（何か面倒な話かな）

今、自分が突然そこに顔を出しては、まずくはないかと文治は思った。少し大きな恭一の声が聞こえる。ぼそぼそ答えているのは哲三だ。どうしようかと思ったが、このまま帰ることも出来ない。知らぬ顔をして、顔だけでも出してみようかと、文治は思い直した。

「やあ、哲三が来てるってかい?」

開け放った襖の手前で先ず声をかけた。

「おう、文治か、いいところに来た」

恭一の声が返って来た。一歩部屋に入った文治は、ぎくりとした。女と並んだ哲三が正座をし、共にうなだれているのだ。八重の言う、「お嫁さんをもらうらしいわ」などという、めでたい雰囲気ではなかった。キワは、うちわを静かに使いながら、文治を見て軽くうなずいた。恭一は床柱を背に、浴衣から毛脛を出して膝小僧を抱いている。

「哲三、どうした? 元気か」

哲三の頬がこけていた。哲三は、上目使いにちらりと文治を見、黙って頭を下げた。同時に女も頭を下げた。色白の、眉の涼しい女だった。齢は三十に近いと文治は見た。

「手っ取り早く言えばなあ、文治、哲三の奴、この鈴さんと一緒になりたいと言うんだ」

恭一が投げ出すように言った。

「いいじゃないか、一緒になりたい人が出来て。俺はまた、哲三の奴、根っからの女嫌いか、体でも悪いかと心配していたんだ」

　その場の空気を柔らげるように、文治は少し冗談めかして言った。

「俺たちはさ、まさか哲三がこんな野郎だとは思わなかったよ」

　恭一が腹立たしげに言った。

「こんな野郎？」

「そうさ、こんな野郎だ。文治、この鈴さんはね、哲三の下宿のお内儀さんだってさ」

「ええっ!?」

　思わず文治は声を上げた。

「若くは見えるが、この人は、五つだか六つだか、年上なんだってさ。もう四年も前からいい仲だったんだそうだ」

「そんな！……亭主持に何したら、手がうしろにまわるじゃないか」

　既婚の男が女をつくるのは許されていたが、既婚の女が男と通じるのは姦通罪《かんつうざい》として、男女共に罪に問われるのだ。

「その亭主がさ、幸か不幸か、二年前に死んでいる。だからここで、哲三はこの人と一緒になりたいと言い出したわけだ」

「なるほど」

文治は、それなら問題はないではないかと、少しほっとした。

「文治、お前、どう思う？」

「どう思うって……俺よりさ、母さんはどうなんだい？」

先程から黙っているキワに、文治は視線を移した。キワのうちわを持つ手がとまった。

キワは哲三を見、鈴を見、文治を見て言った。

「母さんはね、今さっき聞いたばかりで、ちょっと驚いてしまって……哲三は小学校を卒えてすぐに、北海道庁の給仕になったでしょ。そして苦労をして、やっとお役人さんになったでしょ。根性のある子だって、内心母さんは哲三を自慢にしてたのね。言っちゃ悪いけど、三人の中で一番見所があると思っていたんだよ。末っ子なのに、母さんに甘えもしないで、とねえ」

哲三は首をなでた。

「なるほどなあ。一番しっかり者は、この長男でもなく、次男坊でもなく、末っ子だと思っていたわけか」

恭一が膝頭を叩いて苦笑した。

「そしてね、母さんは哲三がほんとに堅物だと思っていたんだよ。文治なんか、早くから志津代さんに心を奪われて、どうも頼りにならないと思ったこともあるしね。恭一だって、どこかちゃらんぽらんで、言ってることの半分は冗談だものね。でも、哲三だけはしっかり夜学に通っただけのことはある、道庁の役人さんになっただけのことはある、そう今日の今日まで何一つ疑わず来たもんだからね、ご亭主のある下宿のお内儀さんと、人目をしのんでいただの、そのご亭主が病気で死んだから、正式にもらいたいだのと言われては、何だか情けなくなってねえ、力がすっかり脱けちゃったんだよ」

「それで、母さんは二人の結婚には反対だというわけかい」

「だって文治、おいそれと賛成しちゃ、亡くなられたご亭主に、申し訳が立たないじゃないの。泥棒猫のような真似をして、ご亭主を欺いて口をぬぐっていた二人がさ、どの顔下げて仏前に報告することが出来るんだい？」

キワは珍しく激した語調になった。

「なるほど、母さんの言うのももっともだね」

ここで母の言葉に賛意を表しておかねばならぬと、文治は思った。ことをまとめるには、キワに反対してはならないのだ。

「で、兄さんは？」

「当り前じゃないか。お前、もし俺がだよ、何も知らない間に、八重とどこかの野郎が出来ていてよ、俺がぽっくり死んだあと、何食わぬ顔をして夫婦になるなどと言ったら、俺は化けて出てやるね。冗談じゃないよ。もし、生きている中にその仲に気がついたら。恐れながらと警察に駆けこんで、男も女も牢の中に叩きこんでやるにちがいない。気がつかなかったばかりに、そのおやじさん『知らぬは亭主ばかりなり』だったわけじゃないか。俺は断じて許さんぞ」

八重の賑やかな声が玄関のほうでした。泊り客が入ったのだろう。文治は、十年も前の暑い日、恭一が布団部屋に力なく寝ころんで、八重のことで悩んでいた姿を思い浮かべた。人妻の浮気は、恭一にとって他人事《ひとごと》ではないのだ。思わず文治は吐息をついた。

(この話は、志津代にはうっかり話すことは出来ないな)

言ってみれば、志津代の母ふじ乃は、この鈴と同じ立場なのだ。哲三は増野録郎なのだ。ふじ乃と増野の場合、それは一夜のあやまちだったが、新太郎という子供が生まれた。哲三は、同じ屋根の下で人妻の鈴と通じていた。それは増野よりもっと悪質と言えるかも知れない。文治は腕を固く組んで、庭の噴水に目をやった。畳一畳ほどの小さな池に、細い噴水がきらめいていた。

と、その時、廊下を走る音がした。

「あんた、あんた、お客さんよ」

と、八重の呼ぶ声がした。すっと恭一が立ち上がった。

「哲三、俺は絶対許さんからな。どうしてもこの人と一緒になると言うんなら、縁を絶つ。絶縁だ。母さんや文治はどうか知らんが、俺は許さん」

と、部屋を出て行った。哲三は深く首を垂れたまま、身動きもしない。鈴も、また身じろぎひとつしない。キワは、黙って立ち上がると、ちょっとよろめくように廊下を伝って行った。文治は何と言ったらよいのかと、忙しく言葉を探したが、

「お前も馬鹿な奴だなあ」

と、ぽつりと言った。思いのこもった声だった。

「ま、二人とも、足をくずしなよ。あんたらは、大変な正直者だな」

文治の言葉に、二人は訝《いぶか》しげに顔を上げた。

「何もさ、不義密通のことまで白状することはないんだよ、白状することは」

「それは……」

哲三が言いよどんだ。鈴が文治を見た。

「実は、わたくしには、三人の子がおりまして、三番目の女の子はこの人の子でございます」

低いが、はっきりした声だった。

二

軒の風鈴が短く鳴った。

文治は庭の噴水に目をやりながら、深い吐息をついた。

「……わたしには三人の子供がおりまして、三番目の女の子は、この人の子でございます」

きっぱりと言った鈴の今の言葉に、文治は女の強さを見た。

（これが本気で惚れているということなのだな）

夫がありながら、同じ屋根の下に住む若い男の子供を生む。発覚すれば、獄に投げこまれることは承知の上での密通なのだ。何が二人をこうまで固く結ばせたかは知らないが、「恋は思案のほか」という言葉が胸に浮かんだ。これ以上二人に、説教めいたことを言っても仕方がないと、

「哲三、それでお前、これからどうするつもりなのだ」

と文治はさりげなく尋ねた。

「わからん」

哲三は頭を横にふった。絶望的な声だった。

「わからんって、兄貴やおふくろに反対されたら、別れるつもりでやって来たのか」

　哲三はちょっと黙ってから言った。

「兄貴があんなに怒るとは思わんかった」

「なるほど。おふくろが叱っても、兄貴なら執り成してくれると、お前は甘く考えて来たわけだ」

「うん、まあ」

「つまり、お前は、自分のしたことが、それほど悪いとは思っていないわけだ」

「そんなわけではないけど、しかし兄貴から絶縁されるほどとは……」

　恭一と哲三は五つ違いだ。哲三が十歳の時、恭一は十五歳だった。体の大きい恭一は、哲三から見れば既に大人だった。五歳で父の長吉を失った哲三にとって、磊落《らいらく》で明るい恭一は、父親的存在でもあった。その恭一に、鈴と結婚すれば絶縁だと言われて、哲三は応えた。肉親から絶縁を申し渡されることが、こんなにも応えるものとは、哲三は今の今まで、思いもよらぬことだった。

「あのな、哲三。お前がどの道を取るにしてもな、自分のしたことがどんなことか、よっくわかっておかなければ駄目だぞ。兄貴の言ったように、もしほかの人が自分の女房を寝盗ったとしたら、どんな気がする？　この鈴さんが、ほかの男の子を宿して、口をぬぐっていたとしたら、お前はどうする？　おそらく只じゃおかないだろう。自分の犯した罪には、人間はいくらでも逃げ口上を探すことが出来る。そして人間は、自分をそうそう悪い者ではないと、思いたがる。そこんところを、よくよく肝に銘ずることだな」

「………」

文治は、自分がいつしか説教口調になっているのに気づいて、哲三が憐れになった。哲三が今聞きたいのは、こんなことではない筈だ。しかし、その聞きたくない言葉を、どうしても聞いて欲しかった。哲三も、鈴も、黙って畳の目を見つめている。またしても八重の賑やかな笑い声が、玄関の方から聞こえてきた。

「そしたら……俺はどうしたらいいんだい、文治兄さん」

「どうしたらいいって、お前はこの人と一緒になるつもりなんだろう。子供まで出来たことだし……まさか子供だけ引き取って、さようならというわけにはいくまい」

「……じゃあ、兄貴から縁を切られるというわけか」

「なあに、一時の辛抱だよ。兄貴だって、ああは言っても、腹ん中じゃあ、『哲、お前幸せにやれよ』と言っているんだ。兄貴はそんな男さ。額面通り受け取ることはないよ」

「そうかなあ」

「そうさ。第一、肉親の縁など、切っても切っても切れるもんじゃないよ。それを誰よりも知っているのが、兄貴の筈だ」

「しかし、兄貴がそうでも、おふくろは……」

「正しい人だからなあ、おふくろは。おやじが死んで二十何年、針の先ほどもまちがったことをしなかった人だ。信じ切っていたお前に、裏切られたという思いは強いだろうよ。何があっても、顔色一つ変えないおふくろが、今日ばっかりは別人のように悄然としていたからなあ。正しい人っていうのは……」

またしても文治はふじ乃のことを思った。これがふじ乃なら、

「何だい、お前たちはわたしとおなじことをするんだねえ。つまらんところが似るもんだねえ」

と、笑ってすますかも知れない。が、正しい者には、誘惑におちいる者を、単に邪悪だと責める傾向がある。そんなことを文治は思った。

「おふくろだって、わが子が憎いわけはない。当分機嫌は悪いだろうが、時々甘えに来るといいよ。そのうちに、孫の顔でも見れば、お前たちをいい者のように思えてくるよ。人情って、そんなものさ」

それまで黙って聞いていた鈴が、

「ありがとうございます。いろいろご心配をおかけして、申し訳もございません」

と、ていねいに頭を下げた。文治は、何となくはっとした。この女も、悄然とはしているが、取り乱さぬ女だと思った。

（まさか……）

三人目の子供が、本当に哲三の子供なのだろうか、文治はそう思ったのだ。哲三は自分の子供だと言われて、そう信じてはいるが、実際の話、男というものは、自分の子供か否かの見きわめをつける術を知らない。お前の子供だと言われれば、そうかと思い、お前の子供でないと言われれば、やはりそうかと思う。女しか子供の父を知らないということは、考えてみれば恐ろしいような気がした。

「大変だなあ、あんたも」

頭を下げた鈴に、いたわりの声をかけたが、哲三に目を転じて、

「とにかくお前、今はぼやいてる時じゃないよ。親の許しが得られないから別れるというほど、のんきな話じゃないんだろ」

「うん。役所のほうも辞めざるを得ないことになったし……」

「そうだろうなあ」

哲三の場合、どんなに弁解してみても、不倫の匂いを消すことは出来ない。官庁はスキャンダルを嫌うのだ。

「哲三、お前、旭川《あさひかわ》に住むつもりで来たんじゃないのか」

哲三はうなだれたまま、

「そのつもりだったが、あきらめた。樺太《からふと》にでも渡ってみようかと、今ふっと思った」

「樺太？」

「うん、あそこは給料もいいし、学校の教師が足らない。勤め口はすぐに見つかると思うんだ」

「樺太か……」

呟いてから、

「哲三、東京はどうだ？　どうせ北海道を離れるんなら、東京のほうが住みやすいぞ。志津代のおふくろもいることだし、北上さんもいる」

「お嫂《ねえ》さんのおふくろ？　カネナカの小母さんか。あの人は頼り甲斐のあるような人だね」

ちょっと淋しそうな微笑を見せて、

「お嫂さんは元気かい？」

と、ようやく顔を上げた。

「うん、まあ、相変らずだよ。お前のことも、いつ嫁をもらうのかと、時々心配していた。よかったら、俺の家に二人で泊って行かないか」

文治は不意に、いくらでも優しくしてやりたい思いに駆られた。

「ありがとう。子供を人に預けて来たので……出来たら今日帰りたいんだ」

　哲三は鈴を見、

「さあ、そろそろ帰ることにしよう」

　と言った。

「そうか、帰るか。とにかく元気を出せよ。何れにせよ新しいスタートなんだ。人間、誰しも辛い時はあるさ。しかし、嵐はそう長くはないよ。吹き飛ばされるなよ。俺は社用の途中だから、駅までは送らないが、鈴さん、あんたも達者でね。哲三をよろしく頼んだよ」

　文治が立ち上がると、哲三が言った。

「俺たちのこと、許してくれるのかい、文治兄さんは」

「許すも許さないも……これからの生き方でお前たちの気持を示して行くんだな。じゃ、ひと足先に失敬するよ」

　台所は忙しい最中だとは思ったが、挨拶だけしようと、帳場の前を通りかかると、小走りに洗面所のほうから走って来た八重に会った。八重は、

「ね、きれいな人でしょ。でも、あの二人、うまくいくかしら」

　と、小声で言った。何かおもしろがっているような言い方が、文治の癇に障った。

「三人兄弟のうちで、一番うまくいくんじゃないですか」

少しきつい語調で言ったが、八重は応えたふうもなく、

「そうかしら。哲三さんの日記、わたしいつか読んだことがあるけど、志津代ちゃんの顔を見るのが辛くて、旭川には来たくないって、書いてあったわ」

と言うなり、忙しそうに階段の方に駆けて行った。文治は呆然と八重の姿を見送った。

人　妻

回転木馬

回転木馬

一

　六年生の紘治も、二年生の紗知代も夏休みに入った。珍しく休みの取れた文治は、子供たち三人と志津代を伴って、常磐《ときわ》公園に来た。うす曇りの、しかし暑い日だ。池の水を見ると、声を上げて、紘治が真っ先に駆け出した。紗知代が浴衣の裾を乱してそのあとを追う。三千代も追いかける。志津代は幸せそうにその三人の姿を眺めた。

「志津代」

「なあに？」

　優しい声が返ってきた。

「あの子たちが、いつまでも今の歳なら、どんなにいいだろうね」

　ゆっくりと歩きながら文治が言った。

「あらいやだ。いつまでも十三と九つと四つでは、楽をする暇がないわ、あなたもわたしも」

　おかしそうに志津代は笑った。十年前に出来たこの公園は、一万八千五、六百坪はあるという。牛朱別川《うしゅべつがわ》の氾濫で、幾度か被害を受けてきた公園だが、一千本のトウヒを始め、多種多様の植樹がなされた。グラウンドも修理され、回転木馬館や二軒の茶店が立ち、また、築山《つきやま》に四阿《あずまや》が設けられ、広い池の周囲には、ところどころに青いベンチが置かれている。

「東京に持って行っても恥ずかしくない公園だよ」

時折文治が志津代に言って聞かせる常磐公園のたたずまいは、いかにも広々として清らかだった。その広い公園を散策しながら、しかし文治の気持は重かった。全くの話、文治は子供たちの十年後、二十年後の姿を想像するのが恐ろしかった。少し神経質な長男の紘治は、いったいどんな職につくのだろう。

「ぼく、学校の先生になるんだ」

と、時折言うことがあるが、おそらく紘治の繊細な神経では、傷つくことが多くて、複雑な人間関係の中に生きて行くのは、容易なことではないと思われる。妻を持つにしても、引込思案で、自分の思いをあらわにすることが出来ず、悶々《もんもん》として青春時代を過すのではないか。

九歳の紗知代は、十年後には十九歳になる。女の子にしては冷静な性格だから、あるいは一生独身で過すかも知れない。その反対に、愛嬌がよく、誰にでもよくなつく四歳の三千代は、祖母のふじ乃に似ている。ふじ乃に似た波乱の多い一生を送るのではないかと、想像するだけで疲れてくる。

「三人の歳がいつまでも今の歳ならどんなにいいか」

と、志津代に洩らしたのは本音だった。こんな思いになるのも、十日ほど前、鈴と共に悄然とうなだれていた哲三の姿を見たからかも知れない。自分たち三人の兄弟の子供の頃を思うと、今の三人のそれぞれの姿は、母のキワにとって思いもかけない姿なのかも知れないと思う。恭一が、まさか隣りの八重と一緒になって、旭川で宿屋を始めるとは思わなかっただろうし、幼い時から、よくその気性をのみこんでいた筈の八重の性格が災して、かげりを落していることも、想像を超えた現実なのだ。次男の自分がカネナカの婿として志津代と結ばれはしたが、三郎の横領によって店をたたみ、姑のふじ乃は不義の子新太郎を連れて再婚した。そしてその新太郎がつい先日家出をして、行方がわからない。母のキワから見ると、ごたごたの絶えない奇妙な家に、息子を取られてしまったような気分だろう。その上、哲三だけはと思っていたその哲三が、三人の子供を抱えた女とのスキャンダルで、有望な官吏の道を失ってしまった。キワとしては、どれもこれも不本意な生き様であろう。

(人間というのは、百人が百人、千人が千人、思わぬ生き方をしてしまうものかも知れない)

文治は、池のそばのベンチに坐った。そんな文治に、志津代は気づいてか気づかないでか、

「やっぱり水のそばはいいわねえ」

と、広い池の面を渡って来るかすかな風にも満足そうであった。

「ぼくもボートにのりたい」

紘治が言い、

「わたしもおふねにのりたい」

と、三千代が文治の膝にもたれた。

「よしよし、もう少しここで休んでから、乗せてあげるよ。氷水も食べさせてあげるよ」

「ひやむぎも？」

池のほとりの草にしゃがんでいた紗知代が、首だけめぐらして聞いた。

「そうそう、ひやむぎを食べさせる約束だったね」

志津代が言った。

（まるで平和そのものの図だ。何と幸せそうな姿だろう）

胸の中で呟きながら、池に行き交うボートに目をやった。兵隊が二、三人乗っているボートがある。中学生の乗っているボートもある。中学生はわざとボートをゆすぶりながら漕いで行く。その近くの、三人づれの若い女性が、華やかな声を上げる。

（確かに一見幸福そうだ）

またしても文治はそう呟き、帯に手を入れた。

「あなた」

子供たちが走りまわるのを目で追いながら、志津代が言った。

「何だい？」

「いったい、新太郎はどこへ行ったんでしょうね」

「自分の好きなところに行ってるんだろうよ」

答えながら、やはり志津代も幸せそうに見えながら、胸の中は憂いで一杯になっているのだと文治は思う。

「好きなところ？」

「そうだよ。おふくろのそばより、もっといいところがある筈だと思って、新ちゃんは家を出たんだろう。だから、もっといいところにいる筈だ」

志津代はちょっと文治を見たが、

「そんな……おっかさんのところよりいいところがあるもんですか」

と、やや責めるように言った。

「けどね、志津代。新ちゃんだって、やがて兵隊検査だ。兵隊検査と言えば一人前の男だ。一人前の男が、いつまでもおふくろさんのそばがいいようでは、困るんだよね。おふくろさんしか眼中にないと思っていた哲三でさえ、あんなふうになったんだからなあ」

文治は浴衣の袂《たもと》からタバコを出した。

「哲三さん、どこへ行ったんでしょうね」

その後哲三からは何の音沙汰もなかった。まだ札幌にいるのか、樺太に行ってしまったのか、それとも東京に行くことに決めたのか、全くわからない。哲三の下宿には電話がなかったから、確かめようもなかった。行先が決まったら、すぐに葉書をくれるようにと出した葉書の返事は、まだもらってはいない。

「どっちを見ても、心配なことね」

不意に志津代の声がうるんだ。

「うん」

哲三のことは、志津代にはあまり知らせたくないことだった。が、隠しおおせることではない。文治が黙っていても、志津代が八一旅館に顔を出せば、八重がすぐ話すにちがいない。ということで、日記以外のことはおおよそ話してあった。まさか、日記の一件まで八重が志津代に洩らすとは思えなかった。が、それも次第に不安になって来ていた。自分の口から言っておいたほうが、志津代の受ける衝撃は少ないのではないかと幾度か思ったが、さすがにそのことは言いかねていた。八重はねつ造までする女ではないから、哲三が志津代のことを日記に書いていたということは、よもや嘘ではあるまい。哲三と志津代は同じ歳で、同じ学年だった。言ってみれば、恭一、文治、哲三の三人の中で、幼い頃一番志津代に近かったのは哲三だった。みんなの憧れだった志津代に、哲三もまた憧れていたとしても、何の不思議もないことだった。考えてみると、自分たち兄弟は、それぞれの時期に、この志津代に恋いこがれたことがあるのだと、今更のように文治は気づいた。

「志津代」

「なあに？　あら、三千代ちゃん、あまりお池の近くに行っちゃいけないわ」

と、三千代に注意してから、志津代は再び、

「なあに？」

と、文治を見た。

「小さい時、哲三って奴、志津代はどう思った？」

「哲ちゃん？」

志津代は幼い頃の呼び方になって、

「好きよ、好きな人だったわ」

「好き？」

「そう。顔立ちはあなたに似ていたし、年下の子を可愛がったでしょ。三人のうち、子供たちに一番慕われたのは哲ちゃんだったんじゃない？」

「そう言えばそうだな。浜でよく、あいつ子供たちと相撲を取っていたっけ」

褌《ふんどし》一つの、少年の日の哲三の裸姿が目に浮かんだ。

「泳ぎだって、親切に教えてくれたのは哲ちゃんよ。口は重かったけど、実のある人って感じだわ」

「お嫁に行きたいと思ったことはなかったかい」

「まさか。わたしが行きたかったのは、ほかの人よ。どこかの誰かさんよ」

志津代は娘のように浴衣の袂で文治を打ち、

「哲三さん、実があるから、あんなことになったのね。狡い人なら、そんな深みにはまらないわ。知らぬ顔して、さっさと逃げ出すわ」

「うん、俺もそう思う」

「その女の人って、どんな人か会ってみたかったわ」

「なぜ?」

「なぜでも。だって哲三さんのお内儀さんになる人でしょ。わたしの相嫁でしょ。義理の妹でしょ」

「まあ、そういうことになるね……」

文治は、今ここで哲三の日記のことに触れるべきだと思った。

「哲三はね、志津代……」

言いかけた時、紘治が三千代の手を引いて駆けて来た。

「氷水と、ボートと、ひやむぎと、約束忘れないでよ」

「忘れないわよ。さ、あなた、ボートに行きましょ」

「お父さんとお母さん、二人でばっかり話をしてる」

紗知代が探るように、二人を交互に見た。

二

「うわあ！　お父さん、ボートこぐの、うまいんだなあ」

　紘治が声を上げた。四歳の三千代も手を叩き、紗知代も、

「ほんとうにね」

　と、感じ入ったようにうなずいた。

「あたりまえさ。お父さんは浜育ちだから、磯舟に乗って育ったようなものだ」

　文治の言葉に、志津代は懐かしい苫幌の浜が思い出された。沖に浮かぶ天売《てうり》・焼尻《やぎしり》の島がありありと目に浮かぶ。

「こう見えてもお父さんは、小学校の時に、島まで一人で舟を漕いで行ったことがあるんだぞ」

　高等二年の時だった。漁師の子供たちと遊んでいて、何かのことから、

「したら文ちゃん、一人であの焼尻まで漕いで行けるかい？」

　と、挑戦されたことがあったのだ。それまでは、乗せられて行ったことはあるが、自分一人で行ったことは一度もなかった。その思い出は、幾度か志津代にも語ったことがある。

あの海上を一人で漕ぎ切った体験は、文治にとって小さなことではなかった。

「わたしも苫幌にいってみたいな」

紗知代が言った。

「ぼくも行ってみたいな。まだ一度もつれてってもらわんもんな」

「今度ね、いつか」

志津代が文治に代って言った。

「お母さんったら、いつも今度今度って、いつの今度さ」

紘治が口を尖らせる。

「いつのこんどさ」

三千代が口真似をする。行き交うボートの間を縫いながら、文治の漕ぐボートはするするとすべった。そのボートに岸から手をふる若者がいる。草原に腰をおろしていた兵隊たちも手をふった。畔に憩う人々の目にも、文治の漕ぐボートはひときわ目立っているようだ。

「新太郎叔父ちゃんがお舟を買ってて、ねだったことがあったのよ」

志津代が子供たちの問いを外らして言った。

「お舟って、このボートのこと?」

「いや、これよりもっと大きい磯舟なの。お魚を獲る舟だから、大きい舟なの」

「それより、いつつれてってくれるの?」

紗知代は話をもとに戻した。志津代は文治を見た。

「曇り日で助かったよ。かんかん照りじゃ大変だ」

オールを動かしながら、文治は別のことを言う。

「ほんとね」

志津代も空を仰ぐ。そして仰ぎながら思う。別段悪いことをして故郷を出て来たわけではない。しかし三郎に身代を横領され、それを苦にして、大番頭夫婦が首を吊った。思い出したくない、その想い出を語るには、子供たちの歳はまだ幼い。そう思った時だった。

「あっ! 危ない!」

と、紘治が叫んで指さした。ふり返ると、白い服の男が、一直線にこっちのボートに向けて漕いで来る。

「危ない!」

文治も叫んだ。思わずひやりとした時、そのボートは、文字どおり間一髪のところで向きを変えた。

「危ないじゃないか」

安堵した分だけ腹が立った。

「ハッハッハッハッハ。ちょっとおどかしてみただけさ」

　若者の顔にどこか見覚えがあった。

「お姉ちゃん、ぼくだよ、新太郎だよ」

「何だ！　新ちゃんか！」

「まあ！　新ちゃん……」

「いつ旭川に来たんだい？」

「いったいどこに行ってたのよ」

　二人の問いには答えずに、新太郎はにやにやしながら言った。

「駅に降りてさ、八一旅館に寄ったら、今日は確かお姉ちゃんたち公園に行ってる筈だと聞かされてね。本当にお姉ちゃんたちが公園に来ていたら、一年は旭川に落ちつこう、来ていなかったら、そのまま汽車に乗って、どこかに行ってしまおうと思ったわけさ」

「そんな……ふざけたことを言って……大きくなって……新ちゃんったら……」

　志津代が浴衣の袖口で目頭をおさえた。

「この新太郎叔父さんだよ、お舟が欲しいって駄々をこねたのは」

　文治はボートを岸へ返しながら紘治たちに言った。「氷水」と書いた紙が貼ってある池の畔の茶店に、一行は入った。ひやむぎを注文して、子供たちのテーブルと、大人たちのテーブルの二つに別れた。店の中は、氷水をスプーンでくずしている客や、氷入りの白玉を食べている者、涼しそうなひやむぎをすすっている者など様々だった。

「義兄さんもお姉ちゃんも、ちっとも変らないな。遠くから見ても、すぐにわかったよ」

「あれから十年にもなるわけだもの、まさか新ちゃんとは……ねえ」

志津代はまだ、目の前にいる青年が新太郎とは信じられない思いだった。写真を送ってもらってはいたが、目に浮かぶのは、東京に文治と共に訪ねた時、

「おねえちゃん」

と、駆け寄って来た十歳の日の姿である。

「全くの話、こっちのボート目がけて、真っすぐ突っこんで来られた時は、文字どおり暴徒かと思ったよ」

文治は冗談めかして笑ったが、

「志津代、噂をすれば影って、あれは本当だね。ちょうど新ちゃんの話を子供に聞かせていたところだったよ」

「ぼくのこと？　どんなことさ。どうせろくな話じゃないだろ」

と、二人を等分に見た。一見二十二、三の青年にも感じられて、思っていたより新太郎は大人びていた。

「そうよ、悪口よ」

志津代は笑って、

「ほら、新ちゃん覚えてる？　磯舟を買ってくれって、だはんこいたじゃない」

「へえー、磯舟を買ってくれって？　ぼくそんなこと言ったの。覚えていないなあ」

と笑い、文治が口にくわえたタバコに、素早くポケットからマッチを出して擦った。

「気が利くのねえ、新ちゃん」

志津代は何か辛いような気がした。只甘える一方だった新太郎が、人のために気をつかうようになった。

「ああ、マッチのこと？　なあに水商売をしていると、こんなことは、いろはのいの字さ」

「そう。それはそうと、あんた家を出て、もう二十日以上にもなるじゃないの。いったい、どこで何をしてたの？」

「お説教かい。ま、説教でも何でもいいや。肉親の言葉には甘さがある。他人の言葉はそうはいかない」

と、腕を組んで、

「佐渡《さど》に行ってみた」

と、優しい顔になった。

「佐渡？」

「うん、佐渡ガ島さ。おっかさんは真野《まの》だっていうから、真野という村にも行ってみた。海がきれいだったよ」

「佐渡にねえ」

志津代は根掘り葉掘り新太郎に尋ねることが恐ろしい気がした。東京の家を出て、一番先に行ったところが佐渡だと聞くと、只のわがままでふらりと家を飛び出したとばかり思っていたことが、まちがいだったような気がした。実の父親の増野録郎と、ふじ乃のもとに育てられて、幸せだとばかり思っていた新太郎が、意外に淋しい思いをしてきたのではないかと思われた。

「おっかさんの生まれた家に、行ってみたよ」

「あら、ほんと⁉」

「うん、おっかさんから名前を聞いていたからね。どこの誰とも言わずに、道を聞くふりをして、ふらりと寄ってみた。そしたらさ、ぼくによく似た男の子がいてね、びっくりしたな。おっかさんの兄弟の子供なんだな。ぼくは水を一杯飲ましてもらった。向うは気がつかなくても、その十二、三の男の子は、ぼくの従弟なんだ。ぼろぼろの家も、家ん中も、すげえ貧乏だった」

「…………」

「あの家から、おっかさんは芸者に売られるところだったんだな。去年おっかさんが、お前もそろそろ大人になるからって、そんな話をぼつりぼつりと聞かしてくれた。その貧乏な家からカネナカのお父っつぁんは、うちのおふくろを救ってくれた。そうおふくろは言ったが、しかし、その実家とは縁を切る約束で、金で買って行ったんだ。その男の子一人っきりしか家にはいなくてね、お父っつぁんおっかさんは、畠に出ていると言っていた。ぼく、必ずもう一度来るからねって、悟っていうその子と、約束して来たんだ」

ようやく運ばれてきたひやむぎに、新太郎は薬味をふりかけた。

三

「本当にしばらくだったわね」

八重は、冷やした麦茶を、森下ハツの前に置いた。八一旅館の浴衣に着替えたハツの太ももが盛り上がっている。

「本当にね」

キワが団扇《うちわ》で風を送りながら相槌を打ち、

「お内儀さんに会ったら、苫幌に帰ったみたいな気がするわね」

と、しんから懐かしそうに言った。「風呂屋のお内儀さん」「風呂屋のお内儀さん」と、苫幌の人から親しまれているハツは、相変らず大きな体だった。

(あの頃は確か五十五、六だったから……)

と、キワは胸の中で指を折り、六十六、七にはなった筈だと、改めてハツの顔を見た。少し白髪が目立つぐらいで、格別に顔も声も老いてはいない。その変らぬハツが懐《なつ》かしかった。痔の治療に通うので、一週間ほど世話になると、十日ほど前葉書が来ていて、キワも恭一も、八重も心待ちに待っていた。

「小母さん、ほんとに変らない」

八重は子供のように喜んで、まじまじとハツを見た。

「見かけだけだよ。あちこちガタがきてさ。一週間もここに世話にならなきゃならないんだからね」

声が大きいので、嘆いているようにも聞こえない。

「一週間なんて言わないで、十日でも二十日でも、ゆっくりしてくださるといいよ」

キワが微笑する。

「そんなに泊ったら、財布が持たないよ」

ハツは大きな声を上げて笑った。

「宿賃なんて、水臭いことを言わないで。ねえ、おかあさん」

八重は弾んだ声で言い、部屋を出て行った。

「本当ですよ。お内儀さん。苫幌が懐かしくてね。みんな、そりゃあ待っていたんですよ」

「ありがと、ありがと。しかしねえ、苫幌も変わったよ。校長先生は、あんたの知らない校長先生に変っちゃってね。医者も、八重のお父っつぁんが死んだあと、落葉松《からまつ》みたいな、ひょろっとした先生が来てね……」

「なるほどねえ、あれから十年以上経つものねえ。わたしたちも、こんな客商売をしてると、墓詣りにもなかなか行けなくてねえ」

「仕方がないよ。留萌《るもい》までしか汽車がないんだもの。苫幌まで行くとなれば、どうしても泊りがけになるからねえ」

と、うまそうにハツは麦茶を飲み干した。キワは小さなやかんから、すぐに麦茶を注ぎ足して、

「畳屋の頭もお変わりないでしょうかね」

「それがさ、情けないね。あの口喧《くちやかま》しい人が、この間中気に当って、ものが言えなくなってねえ。年は取りたくないものだよ、おキワさん」

キワの目に、畳屋の店と、半纏を着た畳屋の主人の顔が目に浮かぶ。そして、遠く連なる天塩山脈の茄子紺の色が目に浮かぶ。一瞬、キワは潮風の匂いを嗅いだような気がした。眉毛島と呼んでいた、あの天売《てうり》・焼尻《やぎしり》の二つの島に通う舟の姿も懐《なつ》かしかった。

「あの頭だって、まだまだ元気でいてほしい人ですよね」

ちょっと止まったキワの手が、再び団扇の風を送る。

「だけどあの人だって、もう八十に近いもんね。人間、年取れば、どこかここか体が壊れていくんだね。わたしなんか、不思議に目も耳も、年寄りみたいでないと言われるけど、腸が下がって痔が悪いんだってさ。今更この年で手術はしたくないし、ま、旭川にいい鍼灸

師がいるというので来てみたんだけど……。ところでおキワさん、あんたいくつになったかね」

と、ハツは浴衣の襟をくつろがせた。

「はい、五十四になりましたよ、もう」

キワは静かに微笑した。

「へえー、五十四？ ほんとかね。誰が見たって、まだ四十代だよ、おキワさん」

と、ようやくキワの動かす団扇を手でとどめ、

「どれ、団扇はわたしに貸してちょうだい」

と、その丸い団扇を手に取って、今開いた襟もとを、ばたばたとあおいだ。

「まあ、お内儀さんったら……からかっちゃいけません」

言いながらもキワは、苫幌にいた頃の、四十代の自分に帰る心地がした。廊下に足音がして、下働きの小女が盆に氷水を二つのせて入って来た。小女はぺこりと頭を下げて、そそくさと出て行った。氷水をすすめられたハツは、

「ありがたい、ありがたい。暑い時はこれが一番。じゃ、頂きますよ」

と、一度に口一杯に氷水をふくんだ。外はじりじり焼けつくような暑さだ。

「そうだ、氷水で思い出した」

ハツは匙を持つ手を休めて、

「おキワさん、あのカネナカの店跡に、留萌《るもい》から人が来て、新しく店を開いたよ。何せ、カネナカの番頭夫婦が首を吊った一件もあってさ」

と、声を落し、

「一時は幽霊が出るとやら、出ないとやら、妙な噂が立ってね。近寄る人もいなかったが、ちょっと店構えを変えて新しくしたら、結構はやっているんだよ」

「そうですか。それはよかった」

今までにも何度か店を開く者がいたが、半年と店は持たなかった。

「今年の夏からは、店の脇に、葭簀《よしず》張りの氷水屋なんぞも始めてね、子供たちがむらがっているよ」

「そうですか。一度わたしも行ってみたい」

ふっとキワは、苫幌に現れた頃の、夫長吉の若い日の姿を思った。苫幌は長吉と共に生きた懐《なつ》かしい地であった。

「文ちゃんも哲ちゃんも、元気かね」

ハツは、先程会った恭一の名を除いて尋ねた。

「お陰さまで、文治は相変らず新聞社に勤めて、子供が三人になりました」

「ほう、三人ね。哲ちゃんはまだ札幌かね」

キワの顔が、一瞬かげった。が、声は明るく、

「いえ、それがね、樺太《からふと》の豊原《とよはら》で……学校の先生をしてますよ」

「あれ？　道庁のお役人と聞いていたけど……」

「はい。でも、死んだ主人が役人を一番嫌ってましたんで……」

と、キワは言葉を濁した。長吉が役人を嫌っていたのは事実だった。だが、長吉の死後、哲三が北海道庁の役人として任官すると、キワはその長吉の言葉を忘れるともなく忘れて、誇りにさえしていたのだった。

「新聞社に、学校の先生か。いい子供さんばかり持って、幸せだねえおキワさん」

「まあお陰さまで」

キワは、先月訪ねて来た哲三と鈴の姿を思いながら、何事もないように答えた。

「そうかい、そうかい。苫幌じゃねえ、カネナカのお内儀さんと山形屋のお内儀さんは、幸せなんだろうかと、いらん心配をしている者が多くてね」

「……ありがたいことです」

キワも氷水を口に運んだ。

「それで何かい。カネナカのお内儀さんは、東京に嫁いだとか、もう十年も前のことになる

よね」

「立派に料亭をやっているそうですよ」

「そうだってねえ、増野さんのところに行ったんだってねえ」

と、ハツは詮索好きな目をキワに向けたまま、残りの氷水を一気に飲んで、

「あの新太郎という子、どんなになったかね」

と、またもや声をひそめた。

「ええ、もう十八にも九にもなって……」

「ああ、そうなるかねえ」

ハツはちょっとキワの顔をうかがい、

「おキワさん、ここだけの話だけれど、あの子は増野さんの子じゃないかって、疑っている人も、苫幌にも何人かいるよ」

と、身を乗り出した。そのハツの顔が不意に老けたようにキワには見えた。

「お内儀さん、そんな証拠もないことを……」

「けどさあ、あの増野さんが呉服を行商に来た時、カネナカに泥棒が入ったとか、入らなかったとか、街中の噂になったことがあったじゃないか」

「どんな小さなことでも、噂になれば大きくなりますよ。新ちゃんは、よく庖丁が出来てね。

今、うちの料理を手伝ってくれてますけど、増野さんには、これっぽっちも似てませんわ」

　キワは静かに答えた。キワも、文治から、新太郎は増野の子供らしいと聞いているが、自分の口から肯定するほど、キワは愚かではない。

「おや！　あの子が来ているのかい。どんなに大きくなったか、会ってみたいねえ」

「もうすぐご挨拶に伺う筈ですよ。夕食の仕度が始まる前に」

　言った時、玄関の柱時計が二つ鳴った。

「志津代ちゃんは時々来るのかい？」

「はい、よく気のつく子で、来る時は、必ず手土産を持って来ましてね」

「それはいい嫁さんだこと。うちの嫁に、その爪の垢でも煎じてやりたいよ」

　ハツがちらっと笑ったが、キワは、どんな嫁かとは尋ねなかった。

「それはそうと、八重ちゃんは？　あれはいい子だろう」

　口とは反対に、ハツは探るようなまなざしになった。陽気な八重の、誰にでも飛びつく行儀の悪さは、苫幌からの泊り客の噂になっているにちがいないと思いながら、

「小さい時から気のいい子で、助かりますよ」

　と、キワは表情を変えなかった。自分の口から出たことは、全部苫幌の人々に伝えられると思えば、針の先ほども、悪口も愚痴も言えない思いだった。

「相変らずあんたは利口者だよ」

ハツは、麦茶の茶碗を手に持った。キワがあわてて、またやかんの麦茶を注いだ。と、廊下を大股に歩く男の足音が聞こえた。

回転木馬

ほくろ

ほくろ

一

「へえー、あんたが新ちゃん!? あんたがねえ、あの新ちゃんかねえ」

宿の浴衣を粋に着て、目の前に現れた新太郎を、ハツは惚れ惚れと見て言った。新太郎は照れもせず、

「いい男だと言いたいんだろう、小母さん。何せ、水もしたたる、氷も解ける新太郎って言うんだ、ぼくは」

と、大人っぽく笑い、

「小母さんには、よく叱られたもんだ。脱衣所の籠を、舟に見立てて玩具にしたり、窓から投げたりしてね」

「そうだそうだ。新ちゃんは人一倍いたずらがきつかったからねえ」

カネナカにはうち風呂があったが、時には一家揃って銭湯に行くことがあった。山の手で寄合があったり、盆踊りがあったあとなど、死んだ順平も、ふじ乃も志津代も、そして新太郎も、広い湯槽を楽しみに行ったものだ。新太郎などは、友だちを引き連れて、脱衣

所の広い床の上で相撲を取ったり、剣劇の真似をしたりして、大きな鏡にひびを入らせたこともある。その時だけはさすがに、新太郎も神妙だった。どんなに叱られるだろうかと、肩をすぼめていた新太郎に、お内儀が言った。

「男の子だもん、それぐらいの元気がなくちゃあ」

この言葉だけは、新太郎も忘れてはいない。だから今、忙しい時間を縫って、挨拶に出てみる気になったのだ。但し、新太郎が鏡にひびを入れたお陰で、順平が以前にもまさる立派な鏡を寄贈したことは、新太郎は知らない。

「小母さん、あの頃と少しも変らないね。東京の銀座で会っても、小母さんだとすぐにわかるよ」

新太郎の言葉に人なつっこいひびきがあった。

「おや、そうかい。こっちはまた、どこで会っても、あのいたずらっ子の新ちゃんとは気づかないねえ。役者のようにいい男と言うけれど、新ちゃん役者よりいい男だよ」

言われて、新太郎は頭を掻いた。と、浴衣の袖がまくれて、腋《わき》の下が見えた。

「おや?」

ハツが訝しげに声を上げ、

「あんた、腋の下にほくろがあるんだね」

と、腰を浮かした。

「ほくろ?」

「そうだよ。カネナカの旦那も、確か腋の下にほくろが二つあった。あんたも二つ並んでいる。親子って、妙なところが似るんだねえ」

キワは、はっとしたようにハツを見、新太郎を見た。新太郎の顔が一瞬こわばった。

「小母さん、おやじの腋の下に、ほくろが二つあったって? どうしてそんなこと知ってるんだい。いろんな客が、いぼやらほくろやら持っていただろうにさ」

ちょっと詰問の語調になった。

「それがねえ、カネナカの旦那が番台の近くで着物を脱いだ時、ひょいと目に入ったのさ。何せ、目と鼻の先だもの、いやでも目に入るわね」

「それをどうして、今まで覚えてるのさ、小母さん」

「ほくろがね、一つだったら忘れたよ。いくらカネナカの旦那のほくろでもね。でも二つあってさ。おや、天売《てうり》・焼尻《やぎしり》の島みたいに、並んだほくろだって言ったら、旦那さんが、天売・焼尻みたいかって、うれしそうに笑ったんだよ。それから時々、その天売・焼尻のほくろの話が出たからね、忘れやしませんよ」

「ふーん」

新太郎は自分の腋の下を首を曲げてつくづくと見、

「いつからこんなところに、ほくろがあったんだろう」

と、考える顔になった。

「ほくろってのはね、新ちゃん、小さい時はうすく小さいことが多いから、気がつかないのかね。それが大きくなって、一人前のほくろになるってことがあるんだよ。ね、おキワさん」

「そうね、痣《あざ》なら生まれた時からついていて、親もちゃんと覚えているけど、ほくろっていうのは、親も当人も気がつかないことがあるからね、場所によっては」

「ふーん、親子は同じところにほくろが出るものかい」

「そういうことがあるよ。風呂屋稼業をしているとね。むろん同じところにあるから親子とは限らないがね」

「なるほどなあ」

なおも腋の下のほくろを眺めながら、

「小母さん、おやじのほくろも右側にあったの」

と、新太郎が言った。

「そう、うちの男風呂は番台の左手だから、まちがいなく右の腋の下だよ」

「そうかい、右の腋下かい。何だか、おやじがここに何かを置き忘れて行ったようだなあ」

そのあと、新太郎はしばらく黙っていた。何か考えているようであった。

二

社の帰りに、文治が八一旅館の茶の間に顔を出したのは、八時を過ぎていた。キワは何か言いたげな目を文治に向けて、

「今日は早かったね」

と言った。

「まあね」

文治は、寝ころんでいる新太郎を一瞥《いちべつ》した。いつもは寝ころんでいることなどほとんどない。たいていは柱を背に、片膝を抱えて陽気に話をしている。その新太郎が、畳にごろりと横になって、右手を手枕に、ぼんやりしているのだ。恭一は電灯の下にあぐらをかき、新聞を読んでいる。

「暑いねえ、夜になっても」

外で子供たちの歌う声がした。

ローソク出せ出せよ
出さないと　かっちゃくぞ

おまけに食いつくぞ

今、社からここに来るまで、子供たちは七夕提灯をぶら下げ、五人、七人と、一団になって家々をめぐり歩いていた。子供の頃の苫幌を思い出し、文治は優しい思いになって母の顔を見に来たのだが。が、雰囲気が少しちがう。それは、新太郎がむっつりと横になっているためかも知れない。

「暑いな」

恭一が新聞を傍らに置いて、

「苫幌の、風呂屋のお内儀さんが来てるぞ」

と、文治を見た。

「あ、やって来たかい」

ハツが来るという話は、文治も聞いていた。洗面所のほうで、手伝いの女と話をしている八重の声が賑やかだった。

「会いたいな」

「疲れたらしい、さっき寝たよ」

「そうか、もう寝たのか。残念だな」

文治にも、苫幌の風呂屋のお内儀は懐《なつ》かしかった。

「ちっとも変わっていないよ」

キワが言った。

「相変らず肥っているのかい」

「うん、おんなじさ」

恭一が文治を見て笑った。と、そこに八重が入って来た。

「あらいらっしゃい、文治さん」

八重はいつもと同じように、うれしそうに声を上げた。うれしそうに迎えられればうれしいものだ。文治はそう思いながら、

「暑いね」

と、先ほど言った言葉を繰り返した。

「冷たいトマトがあるわよ」

「いや、家に帰ってご飯にする。母さんの顔を見たら、それでいいんだ」

文治は、哲三の一件以来、少し痩せたキワを見た。それまで黙っていた新太郎が、不意に言った。

「母さんの顔を見たら、それでいいいか」

せせら笑うような語調に聞こえた。先程からの態度と言い、今の言葉と言い、やはり何かがあったような気がした。文治はさりげなく言った。

「新ちゃん、帰ろう。志津代が待っているよ」

「あとから行く」

新太郎は起きようともしない。

「どうしたんだい？　新ちゃん」

思わず文治は気色ばんだ。キワが、その文治の肩をちょっと突ついた。文治は察して、

「じゃ、先に帰るよ。おやすみ」

と、誰に言うともなく言って茶の間を出た。キワが、

「そこまで送るよ」

と、滅多にないことを言って、裏口の下駄を突っかけた。二人は薄暗い路地に出た。

「何かあったのかい、母さん」

文治はくるりとふり返った。


あとから行くと言った新太郎は十時を過ぎても帰らなかった。

「新太郎、帰らないつもりかしら、遅いわねえ」

志津代は、先ほどから幾度か見上げていた柱時計をまた見上げた。

「新ちゃんの気持わかるよ。どうしたらいいかわからないんだよ」

新太郎の夕食は、卓袱台《ちゃぶだい》の上に用意され、白布がかけられてあった。

「本当ね。お父っつぁんの腋の下のほくろと、同じほくろがあると知っては、混乱しちゃうわねえ、新太郎だって」

志津代が呟くように言った。混乱しているのは新太郎だけではない。志津代も、文治の口からほくろの一件を聞いた時は、息の根がとまる思いだった。新太郎が増野の子だと、母のふじ乃から聞かされて久しい。顔はふじ乃や自分に似ているとは思いながらも、増野の血が流れているのだと、幾度か恨みがましい思いで、新太郎を眺めて来たものだった。

「ほくろって、決定的なものなのかしら」

「それはわからんが、新ちゃんとお父さんの場合、単なる偶然とは言えない気がするな」

「そうね。しかも、同じところに、同じように二つも並んでいるなんてね」

「本当だよ。しかし……そうすると、新ちゃんの子供も、同じところにほくろが出来るということになるのかなあ」

「……まさか、三代もつづくとは思えないけど……」

「何れにせよ、新ちゃんは、カネナカの息子であることは確かなんだよな」

文治は大きな吐息をついた。

「お父っつぁんが可哀想だわ」

志津代の声がうるんだ。順平が死んだ日のことがありありと思い出された。あの夜、順平が倒れる前に、ふじ乃は言ったのだ。

「志津代、お父っつぁんはね、新太郎が生まれた時、何と言ったと思う？　この家の跡継ぎは志津代だと言ったんだよ」

ふじ乃がそう言った時、順平は大きな大きな吐息をついた。順平は肩で息をしていた。いかにも苦しそうであった。その順平に追打ちをかけるように、ふじ乃は言葉をついだ。

「初めての男の子を跡継ぎにしないってのは、どういうことだい」

志津代もふじ乃と一緒になって、どうして新太郎に家を継がせないのかと詰った。順平は首筋に流れる汗を、懐から出した日本手拭いで幾度も拭き、

「いつか、わかる」

低い声で言い、そして、それから十分も経たぬうちに、順平は倒れて死んだのだった。

順平は、新太郎を増野の子供だと疑って死んだのだ。それはどんなに苦しい思いであっただろう。疑われたふじ乃は、しかし新太郎を順平の子だと言って押し通した。だが順平の死後、なぜ増野の子だと志津代に打ち明けたのだろう。その時のことを思いながら、志津代が言っ

た。

「ねぇ、おっかさんは、どうして新太郎がお父っつぁんの子だと思えなかったのかしら」

蚊が耳のあたりでかすかに音を立てた。蚊取り線香の煙が低く這《は》っている。

「そうだなあ。おかあさんとしては、たった一度のあやまちが、実に胸に応えていたのだと思うよ」

「そうね、胸に応えていたのね」

「そうだよ。だから、新ちゃんが増野の子かも知れないと、始めから怯《おび》えていたのかも知れないよ。お父さんに、泥棒騒ぎの一件を知られていたし、初めから自分が罪人のつもりだったのさ」

「なるほど、おっかさんは思いこんじゃったのね。だから、新太郎を抱いて家出したり、花札におぼれこんだりしないでは、いられなかったのね。おっかさんは、自分でもどっちの子か、わからなかったのね」

「新ちゃんも可哀想になあ」

「そうよ、新太郎も可哀想よ。自分の本当の父親に心から可愛がってはもらえなかったんだし……」

志津代はまた時計を見上げた。開け放った隣りの部屋に、子供たち三人の寝顔が、青い蚊帳《かや》越しに見えた。もしこの子供たちのうち、一人でも新太郎のような疑いをかけられていたら……そう思って、志津代はぎょっとした。たった一度とは言っても、男と女のあやまちは、何と長く尾を引くものであろう。今後新太郎は、どんな思いで生きて行くのだろう。新太郎は、増野が父親だと、ふじ乃の口からはっきり聞かされている。この間旭川に出て来た日に、そのことを新太郎は二人に告げていた。

「ねえ、あなた、おっかさんがこのことを聞いたら、何と言うかしら？」

「それだよなあ」

二人は顔を見合わせた。増野が初めて旭川に訪ねて来た十余年前、ふじ乃は新太郎を増野の子だと言ったのだ。そのことがあって、増野は妻が死んだあと、ふじ乃を二度目の妻に迎えたのだ。いや、もしかしたら、新太郎のことはなくとも、増野はふじ乃を後妻に望んだかも知れない。増野は心底ふじ乃に打ちこんでいるように見えた。

それはともかく、ふじ乃が自分の子供を生んだと知って、増野は男として、うれしかったにちがいない。ふじ乃と新太郎を東京に迎えての増野は、新太郎を実の子として可愛がってきたのだ。その新太郎の腋の下に、順平と同じほくろがあると聞いては、決して心穏やかにはあり得まい。

「もしかしたら、増野さん、おっかさんに、だまされたと思うかもしれないわね」

「それだよ、問題は。これは弁解のしようのないことだからね。あんたの子供だと言われた新ちゃんに、カネナカの血が流れていると知ったら、これは事だよ。困ったなあ」

「おっかさんとの間が、おかしくならなきゃいいけれど……」

「ならなきゃいいけど、おかしくなるよ。十中八、九はね」

　二人は黙った。志津代は、何かにふりまわされているような気がした。その何かがわからない。要するに、増野とふじ乃の間に何もなければ、何でもなかったことなのだ。増野と、事のあったあとに、順平の子を妊《みごも》ったということは、神の審《さば》きのように、志津代には思われた。

「もしおっかさんが聞いたら、いったいどうなるのかしら」

「……うーん、どうなるのかなあ……」

「苦しんで苦しんで死んだお父っつぁんのことを思ったら、おっかさん、いても立ってもいられないのじゃないかしら」

「と言って、おかあさんに、ほくろの件を黙っているというわけにも、いくまいしね」

「そうはいかないでしょうよ、新太郎としても」

「まさか、自分一人の胸にたたんでおけとは言えないだろうなあ」

「それは言えないわ、おっかさんだって、知る権利があるわ」

「おかあさんが知れば、あの気性だから、決して隠してはおくまいしね。必ず増野さんに何もかも言ってしまうだろうなあ」

「わたしもそう思う。もしかしたらおっかさん、わたしが悪かったって、増野さんの前に両手をついて、あの家を出るかも知れないわ」

「まさか……おかあさんも増野さんも大人だからねえ。そう悪いことにはならないと思うけど、やっぱり増野さんはだまされたと思うだろうなあ」

「まあ、大人はいいわ。何と言っても、二十前の新太郎が、ぐれやしないかと心配だわ。何せ、この人がお父っつぁんだと思っていたのに、増野さんがお父っつぁんだと聞かされ、またぞろこっちの人がほんとのお父っつぁんだなんて、人間不信におちいるかも知れないわ」

　二人は一緒に吐息をついた。

「全くだね。しかし、志津代、考えてみたら、私たち三人兄弟だって、妙な話だよ。何しろ、おやじは死ぬまで自分の名前を明かさなかったんだからな」

　文治は腕を深く組んだ。父が死んだ年、文治は八歳、小学校一年生であった。長吉は突如、激しい腹痛で、一夜のうちに死んだ。腸捻転とも、食中毒ともわからぬ激痛の中で、転げまわりながらキワの名を呼んだ。

「わしの名は……長吉ではない……」

思いがけぬ言葉だった。戸惑うキワの耳に、

「わしは山形の佐藤文《ぶん》……」

と、長吉は言った。そして長吉は死んだ。十歳の恭一は、佐藤軍之進と聞こえたと言い、文治は文之助と聞いたと譲らなかった。しかも、死後、わかったことは、長吉とキワは結婚はしたが入籍はしていなかったことだった。つまり三人の兄弟は、私生児として届けられていた。キワも、三人の子供たちも、長吉の本当の名を知らなかった。それを知ったのは、のちに山形屋の客となった北上宏明の話によってであった。本名は佐藤文之助と聞いた。文治たちにとっては、他人のような名前であった。

「ほんとにねえ。あなたの場合も、ずいぶんと大変だったわけよねえ」

「全くだよ。しかしね、今ふと思ったのだが、人間は、誰の子であるかということも大事だが、もっと大事なのは、別のことではないかとね」

「別のこと?」

「もっと根元的なことをしっかり見つめていたら、誰の子かということは、さほど大きなことではないような気がするよ」

「言うことが、よくわからないわ」

「つまりさ、人間には、人間がどこから来てどこへ行くのか、という大きな命題がある。人

間は等しく神の子だという思想もある。ぼくが東京にいた時、北上さんが言っていた。人間を創ったのは神だ、とね。今そのことを思い出したよ」

志津代は深くうなずいた。

三

昨夜新太郎は、夜も更《ふ》けてから帰って来た。文治と志津代は、玄関の戸の開くのを聞いてはいたが、わざと出ては行かなかった。夜更けに帰るというのは、誰にも顔を合わせたくないからにちがいない。

今朝は文治が出社する十時過ぎになっても、新太郎は起きては来なかった。文治の出たあと、志津代は細めに新太郎の部屋の襖を開けてみた。青い蚊帳の中に、新太郎は向う向きになってかすかな寝息を立てていた。昨夜は何時まで一人悶々と起きていたのかと思いながら、志津代はほっと吐息を洩らして襖を閉めた。

「新太郎おじちゃんはまだねんねしてるから、外で遊んでおいで」

志津代は紘治と紗知代に言いふくめて、三千代を連れ出させた。三千代は新太郎が好きで、少しでも暇があると、遊び相手になってもらいたがった。新太郎は縄跳びが上手で、サーカス男のように、目にもとまらぬ早さで縄をまわす。それだけで子供たちの心を惹くのに充分だった。

子供たちが三人、角の空地に遊びに出ていくと、志津代は足音をしのばせ、息をひそめて新太郎の起きるのを待った。今日も朝から暑い。玄関の前に立てた柳に、七夕祭りの青や赤の短冊が、時折かすかに揺れるだけの、風のない日だ。開け放した玄関の向うに人影がさした。郵便配達だった。志津代はそっと玄関に出て、「郵便！」という声の立たぬよう、いち早く手を差し伸べた。案の定心待ちにしていたふじ乃の手紙だった。

新太郎の家出を知らせる手紙をふじ乃がよこしたのは、七月初めだった。その手紙には、もし新太郎が行ったら、電報で知らせてくれるように、すぐに迎えに行くからと書いてあった。新太郎が現れた日、文治は直ちにふじ乃に電報を打った。

「シンタロウゲンキ　アンシンシンヲコウ」

この電報に、ふじ乃は言葉どおり安心したのか、

「アンシンシンシタ　シバラクヨロシクタノム　アトフミ」

という電報をよこしたまま、「アトフミ」の文がいつまで経っても来なかった。

「おっかさんらしいわね。すぐ迎えに行くからなんて言っておきながら、新太郎が無事だとわかると、もうすっかりこっちに委《まか》せているんだから」

文治の手前、志津代は母の悪口を言うより仕方がなかった。それでも、新太郎の着替や、浅草海苔やお茶などの小包を送って来た。その海苔の缶に、三十円ほどの現金を入れて、

「これは文治さんと志津代へ」

とあり、新太郎へも十円の小遣いを送って来てもいた。が、志津代としてはふじ乃の手紙が欲しかった。新太郎がいつ旭川をいやになって、またどこかに出て行かないでもないと思いながら預っているのは、気骨が折れた。そこに、昨日ほくろの事件が起きた。今まで、九時にはわが家に帰って来ていた新太郎が、昨夜は午前一時を過ぎてようやく帰って来た。新太郎が帰るまでの間、そのまま旭川をあとにしたのではないかと、志津代も文治も気がもめて、人の足音がしまいかと、全身を耳にして帰りを待っていた。その矢先のふじ乃からの手紙である。志津代は思わず、

「何よ、おっかさんたら」

と、小声に口を出して詰り、鋏で封を切るのももどかしく、手紙を読み始めた。

「文治さん、志津代。

ごめんんなさいよ、手紙がおそくなって。人間の世界って、なんてまあ忙しいことの多いんでしょうね。店の仲居頭が不意に盲腸炎とやらで手術して、嫁に行った増野の娘の嫁ぎ先のお姑さんが、三日の患いで亡くなってしまった。大事な仲居頭が病気となりゃあ私が倍忙しくなって、娘の嫁ぎ先への義理も立てなきゃと、通夜だ、葬式だ、ひと七日だと、駆けずりまわって、その上、ああだこうだと、言いわけもしようと思えば、いくらでもごぶさたの口実の種はなくならないほどいろいろあって、すっかりすっかりごぶさたしてい

ました。

几帳面な文治さんや志津代のことだから、『おっかさんったら、だらしがない』と、わたしの手紙を待っているのが目に見えるようで、もう一度ここで、両手をついて謝ります。

本当にこの度は、新太郎のことでご迷惑をかけました。すぐに迎えに行くからと約束しておきながら、打ち捨てておいてごめんなさい。何しろ、文治さんと志津代のそばにあの子がいると思えば、わたしのそばにいるよりずっと、安心なのですから不思議なものだわねえ。なるべく、今月中に迎えに行くつもりでいるから、相すみませんが、それまでよろしくおねがいいたします。

新太郎に去られてみると、おもしろいことに、案外家では役に立つ存在だったと気がつきました。新太郎が家にいる時は、甘ったれだの、生意気だの、わがままだのと、文句ばかり言っていたことだけれど、それは必ずしも当ってはいなかったようなのです。板場には、『新ちゃんがいなければ、火が消えたようだ』とか、『あの人がいるので楽しく働ける』という若者が何人もいますからね。庖丁だって、結構まじめに勉強していたらしく、『新ちゃんは大物になれる』と、花板さんが言ってくれるほどなのです。ま、そんなわけで、増野も淋しがっていることですし、わたしも帰って来て欲しいので、とにかく迎えに行きます。

書置きをして家出をした新太郎としては、迎えに来たからと言って、おいそれと東京に帰るのは、ちょっと気恥ずかしいかも知れないが、人間若い時恥ずかしい思いをするのも、本人の薬になるでしょうからね。増野も、一緒に迎えに行こうかなどと言っていますけれど、それでなくても忙しいのに、二人で店を離れるわけにはいきません。本当は新太郎も迎えの要る年じゃなし、一人で帰らせてもいいのよね。けれども、正直の話、私は、新太郎の家出のお陰で、十年ぶりに北海道に帰る口実が出来たのを、喜んでいます。紘治、紗知代、三千代を膝の上に抱ける日を楽しみにしています。二十日過ぎになると思いますが、新太郎に、素直に東京に帰るよう、説得しておいて下さい。八一旅館の皆さんによろしく。おせわになっていますと、志津代から丁寧にお礼を言って下さい。あちらでは赤ちゃんが出来なくて、さぞ淋しいでしょうね（ま、これは内緒）」

昨日の今日で、志津代は複雑な思いで手紙を読んだ。この手紙が来たことを、すぐに新太郎に知らせるべきか、文治に先に読ませるべきか、志津代はちょっと思案した。宛名が文治と志津代になっている以上、夫の文治に先《ま》ず読んでもらうべきだと思うのだが、ふじ乃からの手紙は、たいてい志津代が先に読んでしまう。まあそれは勘弁してもらうとしても、新太郎に先に見せるのは、やはり文治に憚《はばか》るものがあった。

とにかく、今朝新太郎と顔を合わせるのは避けたい思いだった。ほくろの一件を聞いた顔をしていてよいのか、聞かない顔をしているべきなのか、その辺の判断がつかない。文

治は出がけに、

「向うから言い出すまで、黙っていたらいいんじゃないか」

と言っていた。知らぬ顔をするにせよ、知った顔をするにせよ、何れにせよ間が持たないのではないか。それが志津代には不安だった。

四

りりりんと、たくさんの風鈴の鳴る音がして、風鈴売屋の屋台を、五十過ぎの男が家の前を曳いて行った。先月の初め頃から、いつもこの時間になると通って行く風鈴売屋だ。屋台を二、三丁先の十五丁目通りに置いて商うらしく、この辺りを行く時は、売声は出さない。子供たちがいたずらをして、

「風鈴」
「風鈴」

と従いて歩く。今もまた、よく透る子供の声が、「風鈴」「風鈴」と叫んでいた。新太郎が起きるのではないかと、眉根をひそめた時、襖が開いて、

「あーあ、よく眠った」

と、新太郎がいつもの顔で、大きく伸びをした。屈託のないその姿に、志津代は、ほっと先ずは一安心したものの、本当に安心してよいものかどうかと、胸の痛む思いもあった。

「そう、よく眠った?　それはよかったわ」

志津代も、いつもの声音で、姉らしく答えた。

「ごめんよ、昨夜は遅くなって」

　すぐに素直にあやまられて、志津代は返す言葉を探した。

「何時に帰ったの。早く寝てしまったから……」

　そのあとは言葉を濁す。

「一時は過ぎていたと思うよ。ちょっと屋台で酒を飲んで来た」

「そう」

　言葉少なに答える志津代をちらりと見てから、新太郎は台所に行った。そのポンプを押す音を聞きながら、とにもかくにも、さわやかな顔であってくれたのはよかったと、志津代は卓袱台《ちゃぶだい》の覆いを取った。

「お姉ちゃん」

　と、新太郎は子供の頃の呼び方で志津代を呼び、

「悪いけどさ、今朝お茶漬が欲しいな」

　と、卓袱台の前にあぐらをかいた。

「寝巻のままじゃないの。浴衣に替えていらっしゃい」

　志津代はわざとそっけなく言った。

「はい、はい」

と、すぐに部屋に引っこんだ新太郎は、白絣の浴衣に着替えて、再び卓袱台の前に坐ろうとしたが、

「おっと忘れた」

と独り言を言い、仏間に入って行った。志津代ははっと胸を衝かれた。茶の間とつづきの、開け放した仏間の様子は、真っすぐに見える。灯明を上げ、線香に火をつけ、焼香している様を、志津代はひとつひとつ心に納めるように見た。新太郎が仏壇の前に坐ったのは、旭川に来た日だけであった。それだけに、今の新太郎の神妙な姿は心に応えた。しばらく手を合わせていた新太郎が、灯明を作法どおり手で消して、茶の間に戻って来た。

「お姉ちゃん、聞いた？　ほくろの話」

志津代は、「聞いたわ」と声に出そうとして声にならず、大きくうなずいた。

「同じところにほくろがあるってのは、親子のしるしだよな」

さばさばと新太郎は言う。志津代はご飯に熱いお茶を注ぎながら、うなずくだけで声にならない。

「よかったよな、お姉ちゃん」

「何が？」

かすれたが、今度は声が出た。

「何がってさあ。俺とお姉ちゃんは、親父もおふくろも一緒じゃないか。それが俺には、何よりもうれしいんだ」

　言うなり新太郎は、さらさらとお茶漬を流しこんだ。志津代はつと立って、台所に行った。思いがけない新太郎の言葉だった。

(……それが俺には、何よりうれしいんだ)

　志津代は白い割烹着の袖を顔に押し当てて、しばらく肩をふるわせていたが、水で顔を洗ってから茶の間に戻った。新太郎の鼻の先も少し赤かった。

　二人はちょっと黙って顔を見合わせた。志津代はしみじみと自分の弟だと思った。今までは、増野の顔が新太郎の陰に見えることがあって、こだわることが時々あった。だが、今見る新太郎は正しく正真正銘弟だった。自分も新太郎も、ふじ乃によく似た目鼻立ちである。それが今日は、とりわけ似ているように思われて、志津代の気持もすがすがしかった。

「新ちゃん、びっくりしたでしょう」

　志津代の声が優しかった。

「そりゃあ、もう、驚いたなんていうもんじゃないよ。がつんとどこか殴られたような……ほんとにねお姉ちゃん、これは形容じゃなくて、正に殴られたって感じだったたな」

「そうでしょうともね」

　志津代はうなずいて、次の言葉を待つ。

「何しろさ、この人がお前のお父っつぁんだって言われたのが、小学校のまだ二年生の時だったろ。その上ご丁寧に、去年のいつだったかなあ、おふくろが事の次第を詳しく言って聞かせてくれてさ。俺としては、どうもしっくりしない親父だとは思ったが、要するに、親父とはこんなものかとも思ったしね」

「…………」

「昨日、風呂屋のお内儀さんに、親父と同じところにほくろがあったと聞かされた時には、何が何だかわからなくてさ。俺、ほんとに、ぼやーっとしていたんだ。しばらくの間ね」

「それはそうだわね。何をどう考えてよいか、お姉ちゃんだって、ぼーっとしてたのよ」

　一夜まんじりともせず、夜を明かしたとは言わなかった。

「だけどさ、俺、焼鳥屋で一人酒を飲みながらさ、だんだん思考能力を取り戻して来たんだよ。そして、ふっと思ったのは、お姉ちゃんも俺も、親父とおふくろが同じだってね。そう思ったら、喚《わめ》きたいほどうれしくなってさ……うれしかったなあ。どうしてこんなにうれしいんだろう。妙なもんだねえ、お姉ちゃん」

　志津代はまた涙がこぼれそうになって、頭だけで返事をした。

「増野の親父は、親切な人だよ。俺を自分の実の子だと信じて、疑ってはいないようだよ。

だけど、親切な親戚の叔父さんていう感じなんだな。生まれた時から一緒にいなかったから、こんな気持になるのかなと、思いもしたけど、やっぱり何となくわかるんだなあ」

新太郎はいつもより饒舌《じょうぜつ》だった。

「新ちゃん」

言ってから志津代は、ふじ乃の手紙のことを言い出そうとしている自分に気づいてためらった。

「何だい？」

「ううん、何でもないわ」

「いやだな、言いかけて言葉を濁すなんて」

不意に新太郎の顔が幼く見えた。

「実はね、新ちゃん、今さっき、おっかさんから手紙が来たのよ」

「おっかさんから？　何て言って来たのさ」

「二十日過ぎたら迎えに行くって」

「迎えに？　俺、帰ろうと思えば一人で帰れるよ」

「おっかさんの手紙にも、そう書いてあったわ。でもね、おっかさんはね、北海道に帰る口実が出来て、うれしいんだって」

「うれしい？　あの人って、のんきな人だよな。息子がどうして家を出たかなんて、考えもしないのかねえ」

大人っぽい語調で新太郎は言い、何かを考える顔になった。

「新ちゃん、わたしたちも新ちゃんがどうして家を出たのか、わからないわ。知りたいと、本当は思うの。でもね、もしかしたら、これは新ちゃん一人が考えて、一人で解決すべき問題かも知れないから、要らない詮索はしないほうがいいって、うちの人も言ってるのよ。でもお姉ちゃんは新ちゃんがどんな気持で東京の家を出たか、知りたいわ」

「知りたい？　そりゃあそうだろうな。たった一人の弟が、どんな気持でおふくろのところを出たか、そりゃあお姉ちゃんとしては気になるよな」

白絣の袂に片手を入れて、新太郎はちょっと天井を見たが、その片頬が笑って、

「形而上学的《けいじじょうがく》な問題さ」

と志津代を見た。

「形而上学的？　何よ、それ」

「哲学的という言葉に替えてもいいよ。何か青臭いみたいだけど、俺ねえ、おふくろが不義の子を生んだ、という……実際はそうじゃなかったわけだが……まあ、そんなことはどうでもいいんだけど。そんな話を聞いてから、罪とは何だろうとか、生きるとは何だろうかと、

考え出したのさ」

「…………」

「別段、増野の家がどうの、人間関係がどうのということじゃないんだ。俺、北上さんのところへ時々行った話をしたろ。俺、北上さんという人、好きなんだ。悪いけど、ここの兄さんより好きだなあ。生きる志が高いっていうのかなあ。俺、増野の家は居心地がよ過ぎてさ。だってそうだろ。みんなに坊ちゃんだの、新ちゃんだのと言われて、ちやほやされる。おふくろも増野の親父も、充分なことをして、大事にしてくれる。何かぬるま湯につかっているみたいなんだな」

「ぬるま湯？」

「うん。ぬるま湯ってやつ、外に出たら寒いんじゃないかな。俺、何だかそんなひ弱い人間になりそうで、あの家を出たんだ」

「そうお、そうだったの」

「でも、こんなことを言えば、わがままだとしか、誰も言わないだろ。だけどなあ、お姉ちゃん、増野って家は、東京じゃかなり名が通っているんだよ。名が通っているってことは、ひとつの偏見を背負っているようなもんだもんな」

「なんだか、むずかしくてよくわからないけど、でも、お姉ちゃんわかるわ、あんたの気持。

増野さんとカネナカとはずいぶんとちがうかも知れないけど、あの辺じゃカネナカと言えば、やっぱり名が通っていたわね」

「わかるだろう、俺の気持。俺な、何か、こう時々胸が煮え沸るような気がしてさ。男一匹の生き方って、こんなもんじゃない、こんなもんじゃないと、しきりに思うことがあるんだよな」

志津代は目の覚めるような気がした。

「俺、北上さんから、文治兄さんのお父さんの話を聞いた。感動したな、俺。脱走してきた政治犯をかくまった北上さんの勇気にも脱帽したけど、とにかく俺の生き方は男の生き方として次元が低いと思ってさ。ほんとの男の生き方をしたいと思ってさ。それには、あったかいだけの家を飛び出すより仕方がないと思ったのさ。若気の至りだと思うかい、お姉ちゃん」

志津代は激しく首を横にふった。熱い思いが胸にこみ上げてきて、とっさには言葉が出なかった。新太郎を志津代はどれほども知ってはいなかったと思った。欲しいものを強引にねだるだけの男の子だと思っていた。赤ん坊の紘治に、タオルやショールをかぶせて、

「紘治なんか死んでしまえ」

と言った新太郎が、志津代の胸にはそのまま生きていた。志津代は知らなかったのだ。

それらがすべて、激しいエネルギーを持った新太郎の、一つの叫びに過ぎなかったことを。新太郎は東京に出て、増野の子供たちの間で、何かを感じ取ったにちがいない。それは、生きる上に必要な悲しみや淋しさであったかも知れない。そんな中で出会った北上の生き方が、新太郎にはどんなに新鮮に映ったことか。北上が常にキリスト信者として、どのような行動を取っていたかは、志津代も文治から聞いて知っていた。北上の家にはキリスト信者も来たし、幸徳秋水など、反キリスト教と目される人物も出入りしていたという。しかし、一つ共通していたのは、人間の住みやすい社会をつくろうとする人々であったということである。北上の家で、金儲けの話を談ずる者はいなかった。北上の家で、女の話に終始する者はいなかった。志津代はそう文治から聞いていた。今後新太郎が、どのように変わるかは知らない。しかし、今こそ新太郎は、自分の生きる方向をつかんだことを、志津代は感じ取った。むずかしいことは志津代にはわからないが、文治から聞く限りでは、北上の生き方や考え方は、真当だと志津代も思っていた。その方向に歩もうとしている新太郎に、志津代は言い難い感動を覚えたのである。

「そうかい。若気の至りだとは思わないかない。安心した」

新太郎は本当に安心したように言い、飯茶碗に土瓶の茶を注いだ。

「新ちゃん、大人になったのねえ。お姉ちゃんはね、新ちゃんはまだまだ甘ったれの子供だと思っていたもんだから……ごめんね、新ちゃん」

新太郎は笑って、

「餓鬼の頃を知っていると、いつまでたっても子供に見えるもんだってさ。北上さんがそう言ってたよ」

と、また北上の名前が出た。志津代はあらためて、北上という人間の大きさを思った。考えてみれば、自分の子供でもない恭一、文治、哲三を、私生児から庶子とするために、自ら父親役を買って出た北上なのである。これは決して、並の人間の出来ることではなかった。そんな当然なことが、今更のように志津代の身に沁みるのだった。

「ところで新ちゃん、あんた、おっかさんが迎えに来たら、一緒に帰る？　帰らない？　お姉ちゃんたちとしては、いつまでもここにいてもらっていいのよ」

新太郎の滞在を、自分たち夫婦が迷惑に思っていると思わせては可哀想だと、志津代は気を使って言った。志津代の今の本音は、東京に帰って欲しいどころか、むしろこのまま、自分たちのそばにいて欲しいような思いなのだ。

「そうだな……いや、俺帰るよ、お姉ちゃん」

さっぱりとした語調だった。

「帰るって……でも、あんたぬるま湯から出たかったんでしょう？」

「うん、そうだよ。しかしね、お姉ちゃん、俺昨夜考えたんだけど、東京の家、ぬるま湯でなくなったんだよ」

「ぬるま湯でなくなった？」

「うん、増野の親父が、自分の親父だということで、あの家はぬるま湯だった。だけどねお姉ちゃん、昨日風呂屋のお内儀さんからほくろのことを聞かされて、誰が何と言おうと、俺は中津順平の子だと信じたよ」

志津代はうなずいた。

「としたら、増野の家は他人の家だ。あの人は父親じゃない。他人の家だとわかれば、自ずとこっちの気持にも、今までとはちがった緊張が生まれる。ね、そうだろう、お姉ちゃん」

「なるほどねえ。じゃ、あんた、ほくろのこと、おっかさんや増野さんに、言うつもりなのね」

志津代はじっと新太郎を見た。新太郎の切れ長な目が笑った。

「どうしてさ、お姉ちゃん。そんなこと、口が裂けたって言いやしないよ」

「言わない!?」

「言わないともさ。取れるもんなら、病院でこのほくろを取ってしまってもかまわない、そう思ってるぐらいだよ」

志津代には新太郎が、ひとまわりも、ふたまわりも大きく見えた。

「新ちゃん、あんた……」

声が詰まった。

「だってそうだろう、おっかさんはあんな気性だろう。もしほくろの一件がわかったら、すぐに増野の親父に白状するよ」

新太郎も、志津代や文治たちと同じ危惧を抱いていた。

「わたしもそのことを心配していたのよ。おっかさんのことだから、増野さんに手をついて謝って、さっさと別れてしまうのじゃないかって」

「な、お姉ちゃんだって、同じように思うだろう。あら、まちがいましたで、すむこととはちがうよ。俺みたいな役立たずの男の命だって、命は命だからな。親父だって、いやいいよいいよと、簡単にすませるわけにはいかないだろうさ。ここは、俺一人が黙っていれば、今まで通り、万事うまくいく筈だ。だからねえお姉ちゃん、これっぽっちもおふくろには言っちゃいけないよ。俺は素直に帰って行くからさ」

「新ちゃん……」

志津代は言葉がつづかなかった。こんな若さで、よくぞこれほどの分別がつくものだと、志津代はつくづくと新太郎を見た。新太郎の立場から言えば、増野を恨んでも、ふじ乃を罵っても、無理のないところなのだ。それらしい言葉を、姉の自分にも、一言も言わない。これは一体どうしたことか、志津代は目を瞠《みは》る思いだった。

「新ちゃん、あんた、おっかさんや増野さんが憎くはないの?」

聞いて悪かったかと思ったのは、口から出してからだった。が、新太郎は、

「憎い? どうしてさ」

と笑った。

「だって……」

事の起りは、増野とふじ乃の、一夜のあやまちにある。

「お姉ちゃん、お姉ちゃんは子供を三人も持っていて、男と女のことはちっともわかっちゃいないいんだなあ」

「……」

「俺ね、商売が商売だから、男と女のことは、いろいろ見たよ。人間って、弱いもんなんだよなあ。あやまちを犯さずには、生きていけないもんなんだよな。これは、北上さんの口癖だけどさ。あの人、いつも言っているよ、人間ってあやまちを犯さなきゃ生きていけないんだなあって」

「……」

「お姉ちゃん、俺ね、おふくろは明るくふるまって生きているけど、心の中じゃ、カネナカ

のお父っつぁんにいつも手を合わせて、謝っているような気がする。去年、お前ももう年頃だからって、事の次第を打ち明けてくれたけど、あの時も俺はそう思った。おっかさん辛いんだなあって」

「新ちゃんって、優しいのねえ」

「優しい？　そんなことないさ。俺はわがまま者さ、勝手な奴さ。俺が生まれてきて、カネナカの親父、増野の親父、おふくろと、一ぺんに三人を苦しませた。罪な男さ」

と、ちらっと新太郎は笑った。

「罪な男だなんて……何も新ちゃんが悪いんじゃないわ。やっぱり、増野さんとおっかさんが悪いんだわ。そうよ、あの二人が悪いのよ」

「そんなこと、言いっこなしさ。そんなこと言い出したら、きりがないよ。際限がないよ。な、そうだろう」

と、新太郎は時計を見上げ、

「おれ、銭湯でひと風呂浴びてくる」

と、ついと立ち上がった。志津代はその新太郎を黙って見上げた。

その夜、文治がいつもより早く帰って来た。やはり、昨夜遅かった新太郎のことが心にかかっていたのだろう。文治にまつわっていた三千代も、絵本を読んでいた紘治も紗知代も、八時にはいつものように床に入った。それを待ちかねて、志津代はふじ乃からの手紙を文治に見せた。読み終った文治は、

「そうか、おかあさんが迎えに見えるか。およそ十年ぶりだから、どんなに懐《なつ》かしいだろうね」

　と、手紙を志津代に戻した。

「ところで、新ちゃん、帰ると言ってるかい」

　志津代は、

「新ちゃんね、驚いたわ、わたし」

　と、今朝の新太郎の言葉を、端折《はしょ》らずに逐一語って聞かせた。文治は、

「ふーん、なるほど、形而上学的問題か……」とか、

「え？　何だって、ほくろの問題は、お母さんには知らせるなって？　そうか、そんなことを新ちゃんは言ったのか」

　などと、深くうなずきうなずき聞いていたが、志津代が語り終わると、

「驚いたなあ、新ちゃんがそんなに成長していようとは、失礼ながら夢にも思わなかったよ。やっぱり北上さんの影響が大きかったんだねえ」

　と、感に堪えぬようであった。

「ほんとにお陰さまよ。あなたのお父さまのお引合せよ。わたし、つくづくとそう思ったわ。いろいろ、心配をかけてごめんなさいね。新ちゃんね、昨夜混乱していて、あなたにも失敬なことを言ったんじゃないかって、恐縮していたわ」

昨夜新太郎は、文治がキワに、「母さんの顔を見たら、それでいいんだ」と言った言葉を聞いて、

「母さんの顔を見たら、それでいいか」

と、寝ころんだまま、せせら笑うように言ったのだ。だが今の話を聞けば、あの言葉がどんな過程の中で言われたかが、文治にはよくわかるような気がした。

「とにかくよかった。思いがけない解決だったね」

文治が笑うと、志津代が言った。

「ところがね、新ちゃん、お風呂から帰って来てこう言ったの。東京に帰るには一つ条件があるって」

「条件?」

「ええ、おっかさんとわたしが、新ちゃんと一緒に佐渡を訪ねることが条件だって」

志津代のまなざしにかげりがあった。

ほくろ

佐渡の夕日

佐渡の夕日

一

長い汽笛が鳴った。

佐渡《さど》の両津《りょうつ》行の船が、今新潟《にいがた》を出帆したところだった。九月に入っていたが、波は静かだった。台風の来ない限り、佐渡への船路は、七月から十月頃まで穏やかなのだと、ふじ乃が言った。

家出をした新太郎が、東京の家に再び戻る前に、ふじ乃や志津代と共に佐渡を訪ねたいと言い出した。その願いが実って、遂に、ふじ乃、文治、志津代、末娘の三千代、そして新太郎の五人が、今佐渡に向かう船の中にあった。

ふじ乃が東京から新太郎を迎えに旭川にやって来たのは、二十日盆も過ぎて、夕風が肌寒くなった頃だった。新太郎はふじ乃の顔を見るなり言った。

「おっかさん、俺と一緒に佐渡へ行ってくれなきゃあ、東京には帰らないよ」

「佐渡?」

いきなり言われて、ふじ乃は目を瞠った。

「うん、佐渡だよ。俺ね、北海道に来る前に、佐渡に行って来たんだ」

「それは聞いたけど……」

「おっかさん、おっかさんだって、本当は佐渡に行ってみたいんだろ。おっかさんの両親《ふたおや》が生きているうちに、帰ってみたいんだろ」

唐突に言い出した新太郎の顔を、ふじ乃はまじまじと見た。

「おっかさん言ってただろ。初めの十年は里帰りをしない約束で、カネナカの家に嫁いだんだって。俺、実のところ、仲に立った増野のおやじが、金で親子の縁を切らせたってこと、内心おもしろくなかったんだ……」

「え？　縁を切らせた？　そんなこと、おっかさん言ったかい。ちがうよ、それは。おっかさんは若かったからね、里心がついたら困るから、十年ぐらいは里帰りはするなって、増野が言ってくれたんだよ」

「そうかな。俺は縁を切らされたとばかり思っていたけどな」

「まさか、そんなこと言われる筋じゃなし、言える筋じゃなし、第一カネナカのお父っつぁんだって、このわたしだって、そんなこと承知するわけないじゃないの」

「……じゃ、俺の思いちがいか。俺はさ、てっきりそう思ったもんだから、自分が先《ま》ず佐渡へ行ってみたんだ」

「なるほど」

ふじ乃がうなずいて、傍らにいた志津代を見た。志津代もその言葉で、新太郎の気持がわかったような気がした。新太郎の話では、ふじ乃の実家は貧しかったという。足の不自由な十二、三歳の従弟が、新太郎にひどく似ていたことも、新太郎は言っていた。みんなが留守のその家で、どんな言葉を交わしたのか、とにかく新太郎は、必ずまた来ると約束してきたという。その時の新太郎の胸の中に、ふじ乃を連れて来たい思いが、強く湧いたのではないかと志津代は思った。そしてそれには、増野が親子の縁を切らせたという誤解からきた憤りもあったような気がする。それはとりもなおさず、母のふじ乃への憤りでもあったと思う。その憤りと、新太郎が北上宏明に影響された思想が、何らかの関わりを持っているようにも志津代は思った。単なる肉親への思いより、貧しい者への思いやりが強かったような気がする。

「じゃ、おっかさん、どうして今まで佐渡に行ってみなかったのさ」

新太郎は詰《なじ》るように言った。ふじ乃は微笑して、

「どうしてっていうことは別にないよ。初めの十年は里帰りしない約束だったし……」

「じゃ、十年過ぎてどうして行かなかったの」

「機会がなかっただけだよ」

「機会がなかっただけ?」

「そうさ。新太郎、女なんてものはね、このおっかさんばかりじゃない、遠い土地に嫁に行った者は、めったに里には帰れないものさ。嫁に行った、赤ん坊が生まれた、しゅうとが病気になった、また子供が出来た、そんなことを次々に繰り返しているうちに、気がついたら二十年も三十年も経っていた、故郷の父も母も死んでしまった、遂に一生故里《くに》には帰れずじまいになった、そんな嫁がほとんどなんだよ」

「………」

「おっかさんだって同じさ。おっかさんには店があったし、遠い佐渡まで帰るには、いろんな差し障りがあってね。女なんて、半時の暇さえないようなものだからね。陸つづきならともかく、しょっぱい海を二つも渡って、佐渡まで帰るなんて、こりゃ大ごとだったのさ」

新太郎は黙ってうなずいた。新太郎の目には、まだ日本の妻たちの立場を、客観的に見る余裕がなかったのだ。言われて初めて、ふじ乃の立場がわかった。ふじ乃は確かに、めったにふるさとの話もしなかった。が、それは、自分自身に郷愁を呼びさまさないためであったかも知れないのだ。

「冷たいおっかさんだと思ったのかい」

「うん、正直言って、俺のおっかさんって、親のことどう思ってるのかなあって、何度か思ったさ」

「それで無理矢理佐渡へ連れて行こうと思ったわけね」

ふじ乃は笑った。

「うん、首に縄をつけてでも、佐渡へ連れてってやろうと思ったよ」

「馬鹿だねえ。わたしだって木の股《また》から生まれたわけじゃないんだ。佐渡の夢を見て、幾夜枕をぬらしたかわからない。カネナカのお父っつぁんが帰る時、お土産や小遣いも持ってってもらった。今でも盆と正月に小遣いを送らないことはないしさ。珍しい物を食べる時など、佐渡のみんなに食べさせたいと、どんなに思ってるか知れやしないよ」

ふじ乃の声がしめった。志津代も、胸がしめつけられるような気がした。新太郎もちょっと黙ったが、

「じゃ、俺の佐渡行の提案は、大変な親孝行というわけだ」

と笑ってみせた。

そのふじ乃と新太郎は、旭川《あさひかわ》に三日ほどいてから、十三年ぶりに苫幌を訪ねた。天売《てうり》・焼尻《やぎしり》の島の浮かぶ海を眺め、先《ま》ず順平の墓参をすませ、カネナカの店、蔵のあたりに佇み、甥の梶浦三郎の横領の罪を詫《わ》びて縊死《いし》した番頭嘉助の家の前にも立った。二人の自殺者を出したその家は、今も空家となっていて、蔦《つた》が玄関の戸を覆っていた。網元の家にも、畳

屋の店にも、カネナカでよく働いてくれたサイやタヨの家にも顔を出した。風呂屋のお内儀が音頭を取り、ふじ乃に世話になった者を集めて、昔話に花を咲かせてくれもした。ふじ乃にとって、心満ち足りた苫幌の二日間であった。

旭川を発つ前夜には、八一旅館の広間で、新太郎の庖丁による宴が持たれた。キワも恭一も八重も、志津代も文治もふじ乃も、そして新太郎も、苫幌当時に戻って、夜おそくまで楽しいひと時を持った。しかし誰も、樺太に去った哲三の名を言う者はなかった。

「おかあちゃん、あれ、おふね」

三千代が志津代のセルの袂《たもと》を引いた。磯舟が幾艘か海に出ていた。旭川生まれの三千代には、舟が珍しいのだ。

「思い切って出て来て、よかったね」

水尾《みお》に見入っていた文治が、傍らの志津代に言った。志津代が佐渡に旅すると知った編集長が、

「お前も行って来たらどうだ。見聞を広めることは、記者には大いに必要だからな。但し旅費は自分持ちだぞ」

と、大きな手で文治の肩を叩き、

「何かおもしろい記事を、土産に書いて来てもらおうか」

とも言った。それが思いもかけぬ記事になろうとは、文治は知る由もなかった。

佐渡は、淡路島《あわじしま》につぐ大きな島だと志津代は聞いていた。が、今新潟を出たばかりの船から見る佐渡は、思ったより小さかった。ふじ乃が少し離れたところに立って、その佐渡の島影を食い入るように見つめている。志津代はその横顔に胸を突かれた。三十二年前、十四歳年上の夫順平に伴われて、佐渡から新潟に着いたであろう十八歳のふじ乃の姿を、志津代は想った。二度と見ることができないかも知れぬ佐渡の島影に、この海で別れを告げた日の悲しみを思った。実の娘でありながら、母のその悲しみを、今の今まで自分は思いやったことがなかったと、志津代は気づいた。明治二十年代のその頃、水盃を交わして渡ったという遠い蝦夷《えぞ》地《ち》の北海道に、親きょうだいと別れて渡ったふじ乃の辛さが、今、初めて志津代の身にひしひしと迫ったのである。

（おっかさん……）

志津代は詫びたいような思いだった。耐え難い思いをして、ふじ乃はふるさとを出た。それは、一にも二にも父母と弟妹の貧しさを見かねてのことではなかったか。いつも明るく生きて来たふじ乃を思うと、志津代はたまらない思いになった。

と、島影を見つめていたふじ乃の白い頬に涙がこぼれ落ちるのを、志津代は見た。

三十二年ぶりに見るふるさとの島影に、こぼした母の涙を、志津代は尊いものを見るように見つめた。

「ねえ、あなた、考えてみると、この海と苫幌の海は、つづいているのよねえ」

「そうだよ。わたしも今、ちょうど同じことを思っていたんだ。このまま北へ北へ上って行くと、苫幌の海に行くんだとね」

「本当ね。もしかしたらお父っつぁんもおっかさんも、苫幌の海を見ながら、南に南に下って行けば、ふるさとの佐渡があるのだと、幾度思ったか知れないのね」

志津代は、ほっと吐息をついた。

三千代の手を引いて新太郎が近づいて来た。

「お姉ちゃん、船は大丈夫かい。酔わないかい？」

「大丈夫よ。空は晴れているし、波は静かだし、楽しいわ」

「楽しい？　そうか、お姉ちゃんは楽しいか。……おふくろはどんな気持だろうな」

新太郎は見おろすように志津代を見て、ちょっときびしい顔をした。が、すぐに笑顔になって、

「ね、お姉ちゃん、俺さ、苫幌に行ってひやひやだったぜ」

と、小声になった。

「ああ、あのこと?」

　ほくろとは言わずに志津代は答えた。

「うん、そう。むろん、風呂屋の小母さんには固く口どめしておいたけどさ、八一旅館でね。何せ天性の噂好きというだろう。心配してたんだ。けどあの小母さん、村の中心人物になるだけあって、弁えるところはちゃんと弁えているんだな。誰も、何も知っていないようだった」

「そう、それはよかったわねえ」

　志津代もほっと安心して、

「あら! もう佐渡がすぐ近くに見えるわ」

　と、声を上げた。新潟を出て、まだ一時間とは経っていない。遠く小さく見えた佐渡が、もう目前に見えるのだ。海は青く澄み切っていた。小佐渡を見ながら、船はしばらく島に平行して走り、両津の港に着いたのは、新潟の港を発《た》って、三時間余りののちだった。

二

眼下に、真野湾《まのわん》が湖のように静かな水面を見せて広がっていた。夕日に映えるその真野湾を、志津代、ふじ乃、文治が肩を並べて見おろしていた。小高い台地を夕風がひそやかに過ぎて行く。明日、志津代たちは、この真野を去ろうとしていた。目まぐるしい一週間であった。思いもかけぬ一週間であった。

（新ちゃん……）

志津代の目に、またしても涙があふれた。真野湾の金色のさざ波がうるんでかすんだ。

佐渡《さど》に着いて二日目、志津代たちは乗合自動車で両津《りょうつ》から真野に向かった。車の中で、文治は志津代に佐渡の歴史を語った。順徳天皇が北条義時に追われて佐渡に流されたのは、僅か二十四歳の時であったこと、そして遂に本土に帰ることなく、二十二年この島の真野に住み、四十六歳を一期に世を去ったこと、また、日蓮上人が、世阿弥が、時の権力者の忌諱にふれ、この島に流されたこと、つまり、佐渡の島は政治犯の悲しみと恨みに満ちていること、更に江戸時代には、凶悪犯が相川《あいかわ》の金山に流されて来て、その千何百名のほとんどは、二度と島から出ることなく死んだことなどを語った。聞いていた新太郎が、

「お姉ちゃん、この乗合自動車の走っている国中平野《くになかへいや》のこの道を、あの厨子王が牛車に乗って、親を訪ねて来たかも知れないんだぜ」

「ああ、安寿恋しや　ほうやれほうでしょ。そう言えば佐渡の話だったわね」

初めて気づいた志津代に、新太郎はちらりと白い歯を見せて言った。

「おふくろのおっかさんもな、厨子王の母親のように、庭先の莫蓙の上で、何かを干しながら、ふじ乃恋しや　ほうやれほうと、鳥を追っているかも知れないぜ」

優しい笑顔だった。志津代は何となく、新太郎の言葉のように、目の見えなくなった老婆が庭先に坐っているような気がして、思わず胸が痛んだ。ふじ乃は、昨日佐渡に着いた途端、口数が少なくなって、妙にひっそりしている。三十二年ぶりに見るふるさとの田畑も山も、あまりに懐《なつ》かしくて言葉にも出せないのだろうと、志津代はそんなふじ乃を眺めていた。

ふじ乃の父母の家には、近いうちに訪ねると、予《あらかじ》め手紙は出してあった。確たる日時は書かなかったが、九月中旬からは稲刈りの始まることを、ふじ乃も知っている。稲刈りの前に会いに行くと書いたふじ乃の手紙を、親たちはどんな思いで読み、そして待っているかと志津代は想った。

両津の宿で聞いた話では、真野の農家は島の中でも裕福な者が多いということだった。

「越後《えちご》あたりから売られて来る芸者はあっても、真野から売られる芸者はほとんどありません」

膳を運んで来た宿の女中は、話し好きらしくそんなことを聞かせてくれた。しかし、ふじ乃の実家の事情はちがっていたようだ。

ふじ乃を芸者に売らねばならぬほどの貧しさは、長男の代になっても変らなかった。子供が七人もいたこともある。そのうち三人が病弱で次々死に、その上末っ子が生まれつき足が不自由だった。ふじ乃の父母も、六十を過ぎる頃からは、ほとんど働けなかった。長男夫妻の子供二人までが出稼ぎに出たが、そのまま島に戻って来なかった。それでなくても、大正十二年の関東大震災のあと、日本を襲った不況は、佐渡にも及んでいた。

「ひどい貧乏だ」

幾度か新太郎が言っていたとおり、訪ねて行ったふじ乃の実家は、外から見ただけでもその貧しさがよくわかった。三十坪以上はある平野は狭くはなかったが、その藁葺《わらぶ》きの屋根は傾き、傍らの納屋《なや》も厩《うまや》も傾いていた。庭先に鶏が二、三羽、しのび足に歩いていたが、志津代たち一行に驚いて急いで家の裏手に逃げて行った。山椒大夫の物語に出てくる盲目の老婆はいなかったが、ひどく腰の曲った老婆が、志津代たちに気がつくと、一瞬怯えたように、凝然と土間に突っ立った。が、次の瞬間、ふじ乃が駆けより、ふじ乃と老婆の口から絶叫とも言える声が出た。

「おっかさん！」

「ふじ乃かーっ！」

三十二年ぶりの母と娘の再会だった。

今、真野湾に映える夕茜《ゆうあかね》を見ながら、志津代はその時の、母と祖母の姿を思っていた。

祖父なる人は、姿勢も端然としていて、祖母よりも若く見えた。まなざしや鼻筋に、ふじ乃のおもかげがあった。長男夫妻は頭の低い、いかにも朴訥《ぼくとつ》な正直者らしい人柄だった。二人は目のさめるような美しいふじ乃を見て、充分な挨拶も出来ないほどだった。鎖でも引きずっているように、重い足取りで、末息子の悟が次の部屋から出て来た時、

「まあ！」

と、思わず志津代は新太郎を見た。輪郭と言い、目もと口もとと言い、余りにも新太郎によく似ていた。新太郎の言ったとおりだった。

「よう、悟」

親しげに新太郎が呼んだ。

「ああ、あん時のあんちゃんだ」

悟はうれしそうに、新太郎の傍らに来た。

「なんぼ恨んでいたべかなあ」

祖母は幾度もそう言って、前垂れで涙を拭いた。

「何を恨むのさ、おっかさん。只々懐《なつ》かしいばかりだったよ」

ふじ乃の声が泣いていた。

「それで、お前なんぼになった？」

七十二歳になる父親は、若くは見えたが、同じことを幾度も聞いた。

「五十だって、言ったでしょう」

三度も四度も聞かれて、ふじ乃がおかしそうに答える。

「へえー、五十なあ」

父親が驚くと、長男夫婦もその度に、

「へえー、五十なあ」

と驚く。志津代が娘で三十一歳、新太郎ももうすぐ徴兵検査だと、ふじ乃が根気よく繰り返して言う。三千代という孫を目の前にしても、父親は十八で佐渡を出た娘がいきなり五十になったようで、そのあたりの関係がなかなかのみこめない。

「兄さん、いつまで他人みたいな顔をしてるのさ」

長男夫婦が、何をどうしてもてなしてよいのか、うろうろしている姿に、じれったそうにふじ乃が言った。

「何もないけど……」

と言う嫂《あによめ》の手料理で、その日志津代たちは楽しい夕餉《ゆうげ》のひと時を持った。中将姫のついた大きな日めくりが、新聞紙を貼った壁にかけられていた。障子が茶色に日焼けしていて、何年も貼り替えていないことが歴然とわかる。こんな中に、何十年も祖父母は生きて来たのかと想うと、志津代はどんなにでも優しくしてやりたいような思いになった。

翌日、即ち佐渡に来て三日目——。

志津代は文治と連れ立って、真野の御陵や、日蓮上人、世阿弥の縁りの史跡を訪ねたが、ふじ乃は父母のそばから一歩も離れようとはしなかった。新太郎もまた、悟を相手に遊ぶほうがおもしろいと、史跡まわりを断った。夜はふじ乃の奢りで、新町の小料理屋で、全部揃って食事をした。

「これ、お前の送ってくれた着物だ」

祖母はふじ乃に言い、

「こったらいい着物、この辺じゃ着る時がない」

と言った。長男の妻が着ている銘仙をさして、

「これも、ふじ乃さんからもらったもんだよ」

と言っていたから、小遣いや食べ物ばかりでなく、衣類も送られていることがわかった。

その夜も、近所から借りて来た布団にくるまって眠ったが、三日目にはさすがに、他家の布団を長く借りることがためらわれた。今夜は自分たち夫婦だけでも宿につこうと、文治と志津代が話し合っていると、それを小耳に挟んだ新太郎が、

「おじいちゃんおばあちゃんの家には、そう度々来られないよ。宿に泊るなんて、つまらん遠慮はしないほうがいいよ」

と、この家の主人のような言い方をしたので、みんなが笑った。

「それよりさ、悟はこの外に出たことはないらしいんだ。だからさ、今日はひとつ、悟を連れて、相川のあたりまで、乗合自動車で行ってみたらと思うんだけど」

悟の目が輝いた。文治が、

「それは賛成だ。わたしたちも、相川の金山はぜひ見ておきたかったからね」

と、直ちに同意した。悟はどのようによろこびを現してよいかわからぬふうに、興奮した顔で、「うれしい、うれしい」とはしゃいでいた。今年小学校を卒《お》えた悟だが、遠足に行ったこともなかった。一人で歩けば一里や二里は歩けたが、その速度がのろいので、みんなと一緒に遠足というわけにはいかなかった。

「おっかさんは、相川に行ってみたくないのかい」

靴を履いてから、新太郎はふじ乃をふり返って言った。

「おじいちゃん、おばあちゃんのそばが一番さ。いくら話したって、尽きることなどありゃあしない」

「わかった。じゃ、おみやげを買って来るからね」

新太郎は軽く手を上げて土間を出た。三千代を中に、文治と志津代が手を引き、その後から、新太郎と悟がゆっくりと、あとにつづいた。

「あれなあに?」

三千代が小さな指で、柿の実を指さした。まだ青い柿の実だった。ゆっくり歩く五人の足もとから、白い土埃が立つ。萩の花が農家の家の垣に見事にしだれている。色づいた稲の穂が重く垂れて、正に刈入れの近いことを思わせた。

「田舎は静かでいいわねえ」

志津代が言い、

「本当だなあ」

のんびりと文治が答えた。と、何を思ったのか新太郎が、

「いい歌を教えてやろうか、悟」

「うん、どんな歌? 学校で習った歌?」

「ちがう、東京の北上さんという家で習った歌だ。いいか、おぼえるんだぞ」
新太郎は歌い出した。新太郎は歌が得意だ。
〈神ともにいまして　ゆく道をまもり
………〉
朗々たる声だ。みんながあとについて歌う。
〈荒野をゆく時も　嵐吹く時も
ゆく手をしめして
……
また会う日まで　また会う日まで〉
文治も志津代も大きな声で歌う。悟も声を張り上げる。四歳の三千代でさえ、小さな口を小鳥のようにあけて歌う。
「よし、もう一度歌うぞ」
新太郎が繰り返す。みんなが歌う。
〈また会う日まで　また会う日まで
神の守り　汝《な》が身を離れざれ〉
五人の声が、稲田の上を流れて行った。心が合い、歌が合う。志津代はふっと、深い幸せを感じた。

「あ、忘れ物した。ちょっと待っててね。ひとっ走り行って来るから」

駆け出した新太郎がどれほども行かぬ時、うしろで悲鳴が聞こえた。不意に曲り角から裸馬が狂ったように駆けて来たのだ。三千代の手を引いた文治と志津代が横っ飛びに道の端に飛んだ。が、悟は足がすくんだのか、道の真ん中に突っ立ったまま動かない。新太郎はあわてて駆け戻った。

「危ないっ！」

悟を小脇に馬を避けた一瞬、奔馬は疾風のように過ぎて行った。が、次の瞬間、新太郎は体の重心を失って転び、道端にあった大きな石にしたたか頭を打った。

「新ちゃん！」

「新太郎君！」

志津代と文治が駆け寄った時、新太郎の瞳は既に死んだ者の眼であった。

「あんちゃん！　あんちゃん！」

あの時、新太郎に取りすがって号泣した悟の声が、今も志津代の耳に突き刺さっている。

（新ちゃん！）

どうして死んだのかと、志津代は幾度も幾度も胸に問うたその問いを、今も新太郎に発していた。佐渡まで来て、なぜ新太郎は死ななければならなかったのか。母をふるさとに連れ戻った新太郎が、なぜ死ななければならなかったのか。足の不自由な悟を喜ばそうとして、相川に行こうと誘った新太郎が、なぜ死ななければならなかったのか。自分が順平の子供だと、喜んでいたあの新太郎が、なぜ長く生きて行けなかったのか。志津代は繰り返し繰り返し、誰かに問いたかった。その答を聞きたかった。

たった今、「みやげを買って来るよ」と言って家を出た新太郎が死んだと知った時、ふじ乃は気を失って倒れた。気丈なふじ乃が倒れたのを見て、志津代はその新太郎への思いの深さを改めて知った。まちがっても気を失うようなふじ乃ではなかったのだ。

新太郎が骨になった時、志津代はふじ乃に言った。

「お父っつぁんの分骨したお骨と、新ちゃんの分骨したお骨と、真野のお墓に納めてよ」

「お父っつぁんと一緒に？」

ふじ乃が複雑な表情を見せて首を横にふり、

「そんなことできやしないよ」

「どうして？　おっかさん。新ちゃんはお父っつぁんの子供なのよ」

ほくろの一件を、志津代は初めてふじ乃に告げた。文治がその証人となった。

「どうして……どうしてそれをおっかさんに教えてくれなかったの？」

「新ちゃんがね、増野のお父さんとおっかさんが幸せに生きて行くために、一生このことはおっかさんには言わないって、そう言ったからよ。おっかさんのためなら、ほくろを削り落したっていいって、言ってたのよ」

「ほんとかい、お前」

「嘘で言えることじゃないわ。ね、あなた」

志津代がそう言った途端、ふじ乃は声を上げて泣いた。

「……そうかい。……そんなことを新太郎は言ってたのかい」

泣きながらふじ乃は、幾度もそう言った。

「お父っつぁんが、新太郎を呼んだのかも知れないね。一緒にこの島の墓に入りたくてさ」

ふじ乃は志津代に取りすがって泣いた。文治も男泣きに泣いた。

「新太郎君を殺したのは、ぼくだ」

とっさにわが子の手を引いて、馬の難を逃れた自分が文治には悔やまれるのだ。なぜ足の不自由な悟のことを思いやらなかったのか、悔いても悔いても、悔い切れないのだ。

「あそこに石さえなかったら……」

助けられた悟はそう言って泣いた。

「ぼくの足が悪いのが悪かったんだ」

可哀想にそうも言って泣いた。その悟を見ると、ふじ乃も志津代も文治も、嘆きをあらわにすることを控えねばならなかった。

真野湾を見つめていたふじ乃が言った。

「新太郎は、思ったよりいい子だったのねえ」

「おっかさん、新ちゃんはわたしなんかより、ずっとずっといい子だったわ」

「いえね、おっかさんね、今思ったのはね、あの子、おっかさんがいやでもこの島に、毎年墓参に来たくなるように、死んだんじゃないかとね、そう思ったの。あの子のお墓があれば、きっと毎年わたしはここに来るよ。あの子はわたしに、親孝行はするもんだよって、説教したみたいな気がする」

志津代も文治も深くうなずいた。若い新太郎が、一瞬にして死んだその死の意味を、みんなが探っていると志津代は思った。

しばらくしてふじ乃が言った。

「新太郎は生まれた時から、可哀想な子だった。実の親のお父っつぁんが、新太郎が生まれた時言った言葉を、志津代知ってるかい。この家の跡継ぎは志津代だと言ったんだよ」

「…………」

「それもこれも誰が悪いのじゃない。誰の子かわからない子を生んだ、このおっかさんが悪いんだから」

ふじ乃の声が涙にくもった。

「おっかさん、新ちゃんね……」

言おうとして志津代は口をつぐんだ。新太郎は言ったのだ。

「俺とお姉ちゃんは、親父もおふくろも一緒じゃないか。それが俺には、何よりもうれしいんだ」

この言葉を口に出すと、母を一層嘆かせることになる。大事な言葉として、しまっておこうと志津代は思った。

「男一匹の生き方って、こんなもんじゃない、こんなもんじゃないと、しきりに思うことがあるんだよなあ」

居心地のいい増野の家にいて、そう思ったという新太郎の言葉を志津代は思い返し、

(新ちゃん、新ちゃんは立派な男一匹の生き方をしたわよ)

と、胸の中で呟いた。

文治が言った。

「おかあさん、新太郎君は死ぬ直前に、なぜかこんな歌を教えてくれたんですよ」

〈荒野をゆく時も　嵐吹く時も

……ゆく手をしめして絶えず導きませ

……〉

真野湾に差す夕日の光が、一瞬輝くのを志津代は見た。

二十年後、悟は牧師として北海道に渡り、その第一回の講壇に立ち、説教をした。「嵐吹く時も」と題する説教であった。

（終わり）

佐渡の夕日

＊参考文献

「旭川市史」「苫前町史」「真野町史」「賛美歌四〇五番」
「自由民権」色川大吉著　岩波書店刊
「徴兵制」大江志乃夫著　岩波書店刊
「日本百年の歩み」朝日新聞社刊
「鰊場物語」内田五郎著　北海道新聞社刊
「ワイドカラー日本・八巻北陸」世界文化社刊
「ミニミニガイド文庫　佐渡新潟」旺文社刊

佐渡の夕日

〈底本について〉
この本に収録されている作品は、次の出版物を底本にして編集しています。
『三浦綾子全集』（第十二巻）主婦の友社　１９９２年11月11日

〈差別的表現について〉

作品本文中に、差別的表現とも受け取れる語句や言い回しが使用されている場合がありますが、著者が故人であることを考慮して、底本に沿った表現にしております。ご了承ください。

三浦綾子とその作品について

三浦綾子　略歴

1922　大正11年　4月25日
北海道旭川市に父堀田鉄治、母キサの次女、十人兄弟の第五子として生まれる。

1935　昭和10年　13歳
旭川市立大成尋常高等小学校卒業。

1939　昭和14年　17歳
旭川市立高等女学校卒業。
歌志内公立神威尋常高等小学校教諭。

1941　昭和16年　19歳
神威尋常高等小学校文珠分教場へ転任。
旭川市立啓明国民学校へ転勤。

1946　昭和21年　24歳
啓明小学校を退職する。
肺結核を発病、入院。以後入退院を繰り返す。

1948　昭和23年　26歳
幼馴染の結核療養中の前川正が訪れ交際がはじまる。
1952　昭和27年　30歳
脊椎カリエスの診断が下る。
小野村林蔵牧師より病床で洗礼を受ける。
1954　昭和29年　32歳
前川正死去。
1955　昭和30年　33歳
三浦光世と出会う。
1959　昭和34年　5月24日　37歳
三浦光世と日本基督教団旭川六条教会で中嶋正昭牧師司式により結婚式を挙げる。
1961　昭和36年　39歳
新居を建て、雑貨店を開く。
1962　昭和37年　40歳
『主婦の友』新年号に入選作『太陽は再び没せず』が掲載される。

1963　昭和38年　41歳
朝日新聞一千万円懸賞小説の募集を知り、一年かけて約千枚の原稿を書き上げる。
1964　昭和39年　42歳
朝日新聞一千万円懸賞小説に『氷点』入選。
朝日新聞朝刊に12月から『氷点』連載開始（翌年11月まで）。
1966　昭和41年　44歳
『氷点』の出版に伴いドラマ化、映画化され「氷点ブーム」がひろがる。
『塩狩峠』の連載中から口述筆記となる。
1981　昭和56年　59歳
初の戯曲「珍版・舌切り雀」を書き下ろす。
旭川公会堂にて、旭川市民クリスマスで上演。
1989　平成元年　67歳
結婚30年記念CDアルバム『結婚30年のある日に』完成。
1994　平成6年　72歳
『銃口』刊行。最後の長編小説となる。

1998 平成10年 76歳
三浦綾子記念文学館開館。
1999 平成11年 77歳
10月12日午後5時39分、旭川リハビリテーション病院で死去。

没後

2008 平成20年
開館10周年を迎え、新収蔵庫建設など、様々な記念事業をおこなう。
2012 平成24年
生誕90年を迎え、電子全集配信など、様々な記念事業をおこなう。
2014 平成26年
『氷点』デビューから50年。「三浦綾子文学賞」など、様々な記念事業をおこなう。
10月30日午後8時42分、三浦光世、旭川リハビリテーション病院で死去。90歳。

２０１６　平成28年
『塩狩峠』連載から50年を迎え、「三浦文学の道」など、様々な記念事業をおこなう。
２０１８　平成30年
開館20周年を迎え、分館建設、常設展改装など、様々な記念事業をおこなう。
２０１９　令和元年
没後20年を迎え、オープンデッキ建設、氷点ラウンジ開設などの事業をおこなう。
２０２２　令和４年
生誕100年を迎える。

三浦綾子　おもな作品（西暦は刊行年※一部を除く）

1962　『太陽は再び没せず』（林田律子名義）
1965　『氷点』
1966　『ひつじが丘』
1967　『愛することと信ずること』
1968　『積木の箱』『塩狩峠』
1969　『道ありき』『病めるときも』
1970　『裁きの家』『この土の器をも』
1971　『続氷点』『光あるうちに』
1972　『生きること思うこと』『自我の構図』『帰りこぬ風』『あさっての風』
1973　『残像』『愛に遠くあれど』『生命に刻まれし愛のかたみ』『共に歩めば』
『死の彼方までも』
1974　『石ころのうた』『太陽はいつも雲の上に』『旧約聖書入門』
1975　『細川ガラシャ夫人』

三浦綾子とその作品について

1976　『天北原野』『石の森』
1977　『広き迷路』『泥流地帯』『果て遠き丘』『新約聖書入門』
1978　『毒麦の季』『天の梯子』
1979　『続泥流地帯』『孤独のとなり』『岩に立つ』
1980　『千利休とその妻たち』
1981　『海嶺』『イエス・キリストの生涯』『わたしたちのイエスさま』
1982　『わが青春に出会った本』『青い棘』
1983　『水なき雲』『三浦綾子作品集』『泉への招待』『愛の鬼才』『藍色の便箋』
1984　『北国日記』
1985　『白き冬日』『ナナカマドの街から』
1986　『聖書に見る人間の罪』『嵐吹く時も』『草のうた』『雪のアルバム』
1987　『ちいろば先生物語』『夕あり朝あり』
1988　『忘れえぬ言葉』『小さな郵便車』『銀色のあしあと』
1989　『それでも明日は来る』『あのポプラの上が空』『生かされてある日々』
『あなたへの囁き』『われ弱ければ』
1990　『風はいずこより』

1991　『三浦綾子文学アルバム』『三浦綾子全集』『祈りの風景』『心のある家』
1992　『母』
1993　『夢幾夜』『明日のあなたへ』
1994　『キリスト教・祈りのかたち』『銃口』『この病をも賜ものとして』
　　　『小さな一歩から』『幼な児のごとく──三浦綾子文学アルバム』
1995　『希望・明日へ』『新しき鍵』『難病日記』
1996　『命ある限り』
1997　『愛すること生きること』『さまざまな愛のかたち』
1998　『言葉の花束』『綾子・大雪に抱かれて』『雨はあした晴れるだろう』
　　　『ひかりと愛といのち』
1999　『三浦綾子対話集』『明日をうたう命ある限り』『永遠に　三浦綾子写真集』
2000　『遺された言葉』『いとしい時間』『夕映えの旅人』『三浦綾子小説選集』
2001　『人間の原点』『永遠のことば』
2002　『忘れてならぬもの』『まっかなまっかな木』『私にとって書くということ』
2003　『愛と信仰に生きる』『愛つむいで』
2004　『「氷点」を旅する』

2007『生きること ゆるすこと 三浦綾子 新文学アルバム』
2008『したきりすずめのクリスマス』
2009『綾子・光世 響き合う言葉』
2012『丘の上の邂逅』『三浦綾子電子全集』
2014『ごめんなさいといえる』
2016『国を愛する心』『三浦綾子 366のことば』
2018『一日の苦労は、その日だけで十分です』
『信じ合う 支え合う 三浦綾子・光世エッセイ集』
2020『カッコウの鳴く丘』（小冊子）

三浦綾子の生涯

難波真実（三浦綾子記念文学館 事務局長）

三浦綾子は1922年4月25日に旭川《あさひかわ》で誕生しました。地元の新聞社に勤める父・堀田鉄治と母・キサの五番めの子どもでした。大家族の中で育ち、特に祖母の影響が強かったのでしょうか、お話の世界が好きで、よく本を読んでいたようです。文章を書くことも好きだったようで、小さい頃からその片鱗がうかがえます。13歳の頃に幼い妹を亡くし、死と生を考えるようになりました。この妹の名前が陽子で、『氷点』のヒロインの名前となりました。

綾子は女学校卒業後、16歳11ヶ月で歌志内《うたしない》市（旭川から約60キロ南）の小学校に代用教員として赴任します。当時は軍国教育の真っ只中。綾子も一途に励んでおりました。

そんな中で1945年8月、日本は敗戦します。それに伴い、教育現場も方向転換しました。教科書への墨塗りもその一例です。そのことが発端となってショックを受け、生徒たちへの責任を重く感じた綾子は、翌年3月に教壇を去りました。私の教えていたことは何だったのか。正しいと思い込んで一所懸命に教えていたことが、まるで反対だったと、失意の底に沈みました。

しかし一方で、彼女の教師経験は作品を生み出す大きな力となりました。『積木の箱』『泥流地帯』『天北原野』など、多くの作品で教師と生徒の関わりの様子が丁寧に描かれていて、綾子が生徒たちに向けていた温かい眼差しがそこに映しだされています。また、綾子最後の小説『銃口』で、北海道綴方《つづりかた》教育連盟事件という出来事を描いていますが、教育現場と国家体制ということを鋭く問いかけました。

さて、教師を辞めた綾子は結婚しようとするのですが、結納を交わした直後に病気にかかります。肺結核でした。人生に意味を見いだせない綾子は婚約を解消し、オホーツクの海で入水自殺を図ります。間一髪で助かったものの自暴自棄は変わらず、生きる希望を失ったままでした。そしてさらに、脊椎カリエスという病気を併発し、絶対安静という療養生活に入ります。ギプスベッドに横たわって身動きできない、そういう状況が長く続きました。

しかしある意味、この闘病生活が綾子の人生を大きく方向づけました。療養が始まって2年半が経った頃、幼なじみの前川正という人に再会し、彼の献身的な関わりによって綾子は人生を捉え直すことになります。人はいかに生きるべきか、愛とはなにかということを綾子はつかんでいきました。前川正を通して、短歌を詠むようになり、キリスト教の信仰を持ちました。作家として、人としての土台がこの時に形作られたのです。

前川正は綾子の心の支えでしたが、彼もまた病気であり、結局、綾子を残してこの世を去ります。綾子は大きなダメージを受けました。それから1年ぐらい経った頃、綾子が参加していた同人誌の主宰者によるきっかけで、ある男性が三浦綾子を見舞います。この人が、三浦光世。後に夫になる人です。光世は綾子のことを本当に大事にして、愛して、結婚することを決めるのです。病気の治るのを待ちました。もし、治らなくても、自分は綾子以外とは結婚しないと決めたのですが、4年後、綾子は奇跡的に病が癒え、本当に結婚することができたのです。

結婚した綾子は雑貨店「三浦商店」を開き、目まぐるしく働きます。そんな折に弟から手渡された朝日新聞社の一千万円懸賞小説の社告を見て、1年かけて約千枚の原稿を書き上げました。それがデビュー作『氷点』。42歳の無名の主婦が見事入選を果たします。テレビドラマ、映画、舞台でも上演されて、氷点ブームを巻き起こしました。

一躍売れっ子作家となった綾子は『ひつじが丘』『積木の箱』『塩狩峠』など続々と作品を発表します。テレビドラマの成長期とも重なり、作家として大活躍しました。光世は営林局に勤めていたのですが、作家となった綾子を献身的に支えました。『塩狩峠』を書いている頃から綾子は手が痛むようになり、光世が代筆して、口述筆記のスタイルを採るようになりました。それからの作品はすべてそのスタイルです。光世は取材旅行にも同行しました。文字通り、夫婦としても、創作活動でもパートナーとして歩みました。

1971年、転機が訪れます。主婦の友社から、明智光秀の娘の細川ガラシャを書いてくれとの依頼があり、翌年取材旅行へ。これが初の歴史小説となり、『泥流地帯』『天北原野』『海嶺』などの大河小説の皮切りとなりました。三浦文学の質がより広く深くなったのです。同じく歴史小説の『千利休とその妻たち』も好評を博しました。

ところが1980年に入り、「病気のデパート」と自ら称したほどの綾子は、その名の通り次々に病気にかかります。人生はもう長くないと感じた綾子は、伝記小説をその頃から多く書きました。クリーニングの白洋舎を創業した五十嵐健治氏を描いた『夕あり朝あり』は、激動の日本社会をも映し出し、晩年の作品へとつながる重要な作品です。

1990年に入り、パーキンソン病を発症した綾子は「昭和と戦争」を伝えるべく、最後の力を振り絞って『母』『銃口』を書き上げました。〝言葉を奪われる〟ことの恐ろしさと、そこに加担してしまう人間の弱さをあぶり出したこの作品は、「三浦綾子の遺言」と称され、日本の現代社会に警鐘を鳴らし続けています。

綾子は、最後まで書くことへの情熱を持ち続けた人でした。そして光世はそれを最後まで支え続けました。手を取り合い、理想を現実にして、愛を紡ぎつづけた二人でした。

そして1999年10月12日、77歳でこの世を去りました。旭川を愛し、北海道を〝根っこ〟にして書き続けた35年間。単著本は八十四作にのぼり、百冊以上の本を世に送り出しました。今なお彼女の作品は、多くの人々に生きる希望と励ましを与え続けています。

三浦綾子とその作品について

この「手から手へ～三浦綾子記念文学館復刊シリーズ」は、〝紙の本で読みたい〟という三浦綾子文学ファンの声に応えるため、絶版や重版未定のまま年月が経過した作品を、三浦綾子記念文学館が編集し、本にしたものです。

〈シリーズ一覧〉

(1) 三浦綾子『果《は》て遠《とお》き丘《おか》』(上・下) ２０２０年11月20日

(2) 三浦綾子『青《あお》い棘《とげ》』 ２０２０年12月１日

(3) 三浦綾子『嵐吹《あらしふ》く時《とき》も』(上・下) ２０２１年３月１日

(4) 三浦綾子『帰《かえ》りこぬ風《かぜ》』 ２０２１年３月１日

(5)三浦綾子『残像《ざんぞう》』(上・下) 2021年7月1日
(6)三浦綾子『石《いし》の森《もり》』 2021年7月1日
(7)三浦綾子『雨《あめ》はあした晴《は》れるだろう』 2021年10月1日
(8)三浦綾子『広《ひろ》き迷路《めいろ》』 2021年10月30日
(9)三浦綾子『積木《つみき》の箱《はこ》』 2022年春頃刊行予定
(10)三浦綾子『裁《さば》きの家《いえ》』 2022年春頃刊行予定

ほか、公益財団法人三浦綾子記念文化財団では左記の出版物を刊行しています（刊行予定を含む）。

〈氷点村文庫〉

⑴『おだまき』（第一号第一巻）　２０１６年12月24日　※重版未定

⑵『ストローブ松《まつ》』（第一号第二巻）　２０１６年12月24日　※重版未定

〈記念出版〉

（1）『三浦綾子生誕《みうらあやこせいたん》100年記念《ねんきねん》アルバム（仮）』　2022年4月25日刊行予定

〈特装版〉

（1）『氷点《ひょうてん》・氷点《ひょうてん》を旅《たび》する　合本特装版《がっぽんとくそうばん》』　2022年4月25日刊行予定

〈三浦綾子文学研究シリーズ〉

(1)『三浦綾子文学年譜《みうらあやこぶんがくねんぷ》』　２０２２年４月25日刊行予定

〈横書き・総ルビシリーズ〉

(1)『横書《よこが》き・総《そう》ルビ　氷点《ひょうてん》』　２０２２年夏頃刊行予定

(2)『横書《よこが》き・総《そう》ルビ　塩狩峠《しおかりとうげ》』　２０２２年夏頃刊行予定

(3)『横書《よこが》き・総《そう》ルビ　泥流地帯《でいりゅうちたい》』　２０２２年夏頃刊行予定

(4)『横書《よこが》き・総《そう》ルビ　続泥流地帯《ぞくでいりゅうちたい》』　2022年夏頃刊行予定

(5)『横書《よこが》き・総《そう》ルビ　道《みち》ありき』　2022年夏頃刊行予定

(6)『横書《よこが》き・総《そう》ルビ　細川《ほそかわ》ガラシャ夫人《ふじん》』　2022年夏頃刊行予定

ミリオンセラー作家《さっか》

三浦《みうら》綾子《あやこ》

1922年《ねん》北海道《ほっかいどう》旭川市《あさひかわし》生《う》まれ。小学校《しょうがっこう》教師《きょうし》、13年《ねん》にわたる闘病生活《とうびょうせいかつ》、恋人《こいびと》との死別《しべつ》を経《へ》て、1959年《ねん》三浦光世《みうらみつよ》と結婚《けっこん》し、翌々《よくよく》年《ねん》に雑貨店《ざっかてん》を開《ひら》く。

1964年《ねん》小説《しょうせつ》『氷点《ひょうてん》』の入選《にゅうせん》で作家《さっか》デビュー。約《やく》35年《ねん》の作家生活《さっかせいかつ》で84にものぼる単著作品《たんちょさくひん》を生《う》む。人《ひと》の内面《ないめん》に深《ふか》く切《き》り込《こ》みながらそれでいて地域風土《ちいきふうど》に根《ね》ざした情景描写《じょうけいびょうしゃ》を得意《とくい》とし〝春《はる》を待《ま》つ〟北国《きたぐに》の厳《きび》しくも美《うつく》しい自然《しぜん》を謳《うた》い上《あ》げた。1999年《ねん》、77歳《さい》で逝去《せいきょ》。

MIURA AYAKO LITERATURE MUSEUM

三浦綾子記念文学館

www.hyouten.com

〒070-8007　北海道旭川市神楽7条8丁目2番15号

電話 0166-69-2626　FAX 0166-69-2611

toiawase@hyouten.com

嵐吹く時も　下

手から手へ ～ 三浦綾子記念文学館復刊シリーズ ③

令和三年三月一日　私家版発行
令和三年十月三十日　初版発行
令和四年一月十七日　第二刷発行

著者　三浦綾子
発行者　田中綾
発行所　公益財団法人三浦綾子記念文化財団
〒〇七〇－八〇〇七
北海道旭川市神楽七条八丁目二番十五号
電話　〇一六六－六九－二六二六
https://www.hyouten.com
価格はカバーに表示してあります。
印刷所　三浦綾子記念文学館
製本所　有限会社砂田製本所

 ISBN 978-4-9908389-7-3